場づくりから始める地域づくり

創発を生むプラットフォームのつくり方

飯盛義徳 編著

西村浩／坂倉杏介／伴英美子／上田洋平 著

学芸出版社

表紙：南比良ふるさと絵屏風（制作：南比良ふるさと絵屏風づくりの会）

はじめに

　地域づくりに関心があり、一歩踏み出してみようと思ったものの、何から手をつけていいのかよく分からない。各地を訪問するとこのような声をよく耳にする。本書は、まさにこの思いに応えるための実践の書を目指している。

　本書では、各地の「場づくり」の実践事例をとおして、地域づくりに資する場をいかに構築するか、そのための大切なポイントについて議論する。地域づくりは、まず、場づくりから始まる。これが本書のメッセージである。慶應義塾大学湘南藤沢キャンパス飯盛義徳研究室では、各地で、地域の人々と一緒に、地域の課題解決のプロジェクトを実践している。実際、どのプロジェクトも、最初に行うことは、ハード、ソフトを問わず、地域の多様な人々が交流したり、意見交換できる場づくりなのである。

　本書で取り上げる事例は、中心市街地における人の流れを取り戻している「わいわい!! コンテナ」、顔見知りを増やして都心のコミュニティ再生を果たしている「芝の家」、子どもたちから高齢者までの多世代の人々の交流をもたらしている「ゆがわらっことつくる多世代の居場所」、地域の思い出を絵屏風にして学び合いを生みだす「ふるさと絵屏風」とハード、ソフトの両面にわたっている。いずれも私自身が訪問したり、活動に参加したりしたことがあるものばかりだ。

　他書と一線を画しているところは、単に事例紹介にとどまることなく、それぞれの場をつくり、運営しているリーダーたちの思いや息づかい、活動が広がっていくダイナミックなプロセスにふれることができることだろう。そのため、執筆者の理念や意図を正しく伝えるために、各章の表記や用語の統一はあえて最小限にとどめていることを理解いただきたい。さらに、それぞれの事例を総合して、地域づくりにつながる効果的な場を構築するための方策について試論を展開していることも特徴の一つにあげられるだろう。

各章の執筆者である西村浩氏、坂倉杏介氏、伴英美子氏、上田洋平氏とは、日頃から交流があり、シンポジウムや授業などで一緒に登壇することも多い。それぞれ分野は違うものの、話をうかがうたびに、すべての取り組みには共通のポイントが確かにあり、それは場づくりをするうえでの至言だと思いいたった。ただ、これらの取り組みをそのままコピーしただけで巧くいくわけではないだろう。本書で述べられたことの本質を洞察して、地域の状況や自らの資源などに配慮しながら試行錯誤を繰り返していくことできっと道は開けてくるはずだ。

　本書で取り上げているどの取り組みも最初の一歩はごく小さなもの。場は、つくったら終わりというものではなく、さまざまな人々と一緒に少しずつつくりあげていくものなのだろう。本書が地域づくりの「一隅を照らす」ような活動につながることを心から願っている。

2021 年 4 月　飯盛義徳

目次

はじめに ……………………………………………………………………………………… 3

序章　地域づくりにおける場とは何か　　　　　　　　　　飯盛義徳 ……… 9

1 相互作用が生まれる枠組みや空間としての場 ……………………………… 10

2 地域づくりにおける場の事例 ……………………………………………… 12

3 本書の内容 …………………………………………………………………… 14

1章　まちづくりの持続可能性を支える仕掛け　　　　　　西村浩 ……… 21

1 発明の時代へ── 20世紀の手法はもう通用しない ……………………… 22

2 岩見沢複合駅舎（北海道）── 人を育でる ……………………………… 23
  - ◆ 計画の始まり ……………………………………………………………… 23
  - ◆ 4代目岩見沢駅舎の意味─街の未来を見据える舞台として ………… 26
  - ◆ 市民がまちづくりの当事者となる─岩見沢レンガプロジェクト …… 27
  - ◆ 駅からまちづくりへ─駅建設プロセスにおける市民との協働の意義 …… 31

3 佐賀市の街なか再生── 動機の連鎖をつくる ………………………… 33
  - ◆ "空き" のマネージメント ……………………………………………… 33
  - ◆ 動機の連鎖を生む仕掛け ………………………………………………… 34
  - ◆ 見えてきた課題─物件化していない空き不動産とプレイヤー不足 … 38
  - ◆ 街で育ったプレイヤーが街を変える
    　─マチノシゴトバ COTOCO215 から ON THE ROOF へ ………… 39

4 喜多方小田付蔵通り「南町 2850 プロジェクト」
  　── 未来の担い手を育成する教育の重要性 …………………………… 45
  - ◆ プロジェクトの始まり …………………………………………………… 45
  - ◆ 空き地デザインワークショップ ………………………………………… 48
  - ◆ まちづくりにおける教育の意義 ………………………………………… 53

5 まちづくりに求められる持続性と波及力 ………………………………… 54

2章　都市部のつながりを形成する場づくり　　　坂倉杏介……57

1 芝の家──地域をつなぐ！交流の場づくりプロジェクト ……58
- ◆ 芝の家の風景 ……58
- ◆ 港区の概況と区役所・支所改革 ……59
- ◆ 慶應義塾大学との連携によるコミュニティ事業 ……63

2 「誰もがいたいようにいられる」居場所づくり ……65
- ◆ 芝の家の立ち上げ ……65
- ◆ 居場所づくりの仕組み・仕掛け ……66
- ◆ しつらえのデザイン ……68
- ◆ きりもりのデザイン ……73
- ◆ くわだてのデザイン ……82
- ◆ 出来事の連鎖 ……90

3 ご近所イノベーション学校というコミュニティのプラットフォーム ……91
- ◆ ご近所イノベータ養成講座 ……91
- ◆ ご近所ラボ新橋 ……93
- ◆ 事業間の相互作用による創発 ……96

4 場づくりから地域づくりへ ……98
- ◆ 地域が人の居場所に ……98
- ◆ 場づくりをとおしたソーシャルキャピタルの醸成 ……99

3章　多世代の居場所づくりの実践と課題　　　伴英美子……103

1 ゆがわらっことつくる多世代の居場所とは ……104
- ◆ "多世代の居場所"ある夕方の出来事 ……104
- ◆ "多世代の居場所"の空間的特徴 ……105
- ◆ 地域共生社会と"多世代の居場所" ……106
- ◆ 湯河原町の特徴 ……107

2 空間づくり──"多世代の居場所"設立のプロセス ……107
- ◆ 2011年：子どもフォーラム ……107
- ◆ 2015年："多世代の居場所"の構想 ……108
- ◆ 2016年：放課後リノベーション ……110
- ◆ 2016年11月："多世代の居場所"のオープンとその後 ……111

3 場づくり─多世代が安心して過ごすことのできる場づくり ……………… 114
　　◆ 基本コンセプト「ありのまま」と「斜めの関係」……………………… 115
　　◆ コミュニケーションの仕掛け ……………………………………………… 116

4 プラットフォームデザイン──「場」「学び」「実践・挑戦」……………… 119
　　◆ 場 ……………………………………………………………………………… 121
　　◆ 学び …………………………………………………………………………… 122
　　◆ 実践・挑戦 …………………………………………………………………… 124

5 事業モデルの特徴 ──大学、町との連携、運営資金 ……………………… 126
　　◆ 大学との連携 ………………………………………………………………… 126
　　◆ 湯河原町役場との連携 ……………………………………………………… 128
　　◆ 運営資金 ……………………………………………………………………… 129

6 活動実績と効果 ………………………………………………………………… 130
　　◆ 開催回数、来所者数 ………………………………………………………… 130
　　◆ "多世代の居場所"への参加と自己肯定感・自己効力感 ……………… 131
　　◆ "多世代の居場所"が子どもに与える影響 ……………………………… 134
　　◆ "多世代の居場所"が大学生に与える影響 ……………………………… 135
　　◆ ゆがわらっこ大学の利用者満足 …………………………………………… 137

7 評価と展望 ……………………………………………………………………… 138
　　◆ "多世代の居場所"プロジェクトの評価 ………………………………… 138
　　◆ 今後の展望─未完の場として ……………………………………………… 139

4章　ふるさと絵屏風で生みだす心の居場所
上田洋平 …… 143

1 ふるさと絵屏風とは ……………………………………………………………… 144
　　◆ ある語り部の死 ……………………………………………………………… 144
　　◆ ふるさと絵屏風 ……………………………………………………………… 145
　　◆ 百聞を一見にした「絵画ドラマ」………………………………………… 148
　　◆ 地域の健忘症 ………………………………………………………………… 150
　　◆ つくって・つかって・そだてる …………………………………………… 150

2 五感体験マンダラをつくる …………………………………………………… 151
　　◆ 心象図法 ……………………………………………………………………… 151
　　◆ 五感体験アンケート ………………………………………………………… 153
　　◆ あなたの「身識」を聞かせてほしい ……………………………………… 156
　　◆ 五感体験マンダラ …………………………………………………………… 157
　　◆ 記憶の変奏曲 ………………………………………………………………… 162
　　◆ 地域の環世界 ………………………………………………………………… 163

3 聞き取りから語り部さがし ……………………………………… 165
  ◆ 聞き取り ……………………………………………………… 165
  ◆ 語り部さがし ………………………………………………… 166
  ◆ くらしと歴史・文化の斜交場 …………………………… 167
  ◆ 過去をそだてて未来をつくる …………………………… 169

4 ふるさと絵屏風の制作 ………………………………………… 170
  ◆ 絵師の条件 …………………………………………………… 170
  ◆ 構想を練る …………………………………………………… 171
  ◆ エピソードを取捨選択する ……………………………… 172
  ◆ 心の遠近法に従う …………………………………………… 173
  ◆ 時間の遠近法をあらわす ………………………………… 175
  ◆ 下絵を描く …………………………………………………… 175
  ◆ 下絵の確認会 ………………………………………………… 177
  ◆ どこで制作するか …………………………………………… 179
  ◆ 本図の制作 …………………………………………………… 179
  ◆ 完成披露 ……………………………………………………… 182

5 ふるさと絵屏風のつかいかた・そだてかた ……………… 183
  ◆ 絵解き ………………………………………………………… 183
  ◆ 絵解き再現 …………………………………………………… 185
  ◆ 郷土学習からエコツアーまで …………………………… 188

6 ふるさと絵屏風のはたらき …………………………………… 192
  ◆ 無事の文化の発見──なんにもないを続けてきた営みのすごさ … 192
  ◆ ターミナルケアとして ……………………………………… 193
  ◆ 歴史のなかに居場所を得る ……………………………… 195
  ◆ 新たなる在所を求めて ……………………………………… 196

終章　創発を生むプラットフォームと場づくり　　飯盛義徳 …… 199

1 場づくりのポイント …………………………………………… 200
  ◆ 誰でも出入りしやすい仕組みづくり …………………… 201
  ◆ 多様な人々が気軽に参加できるプログラムの提供 …… 203
  ◆ 資源持ち寄りによる運営 ………………………………… 205

2 地域づくりへの広がり ………………………………………… 207

さいごに …………………………………………………………………… 211

序章　地域づくりにおける場とは何か

飯盛義徳

　本書は、各地の「場づくり」の実践事例をとおして、地域づくりに資する場をいかに構築するか、そのポイントについて議論するものである。

　昨今、地域づくりにおいて、人や組織間で新しいつながりを紡ぎだし、相互作用によって課題解決につながるような何らかの活動を生みだす「場」に耳目が集まっている。ただ、場をつくったからといってすべてが巧くいくわけではない。

　本章では、いくつかの場を紹介しながら、本書の構成や各章の概要を説明する。

1 相互作用が生まれる枠組みや空間としての場

　昨今、地域づくりの文脈において場づくりに関心が高まっている。「サードプレイス」[文1] という言葉が人口に膾炙するようになり、コミュニティカフェや居場所づくりなど、実績のある取り組みが各地で見られるようになった。ここでいう地域づくりとは、2015年に上梓した拙著『地域づくりのプラットフォーム』でも論じたように、「地域のさまざまな課題解決を行う具体的な活動」をいう。特徴としては、産業や観光振興、福祉、教育、コミュニティ関係など幅広い分野があること、その主体は、行政機関や非営利組織、企業、個人など多様であり、内発的な活動であることなどが上げられる（小田切[文2]）。さらに、多様な主体が組織間の垣根をこえて協働して取り組まれていることも多い。

　一方、場とはなんであろうか。伊丹[文3] は、場について、「人々が参加し、意識・無意識のうちに相互に観察し、コミュニケーションを行い、相互に理解し、相互に働きかけ合い、共通の体験をする、その状況の枠組み」（p.23）と定義している。その枠組みとは、人々がさまざまな様式やチャネルを通じて情報を交換し合い、刺激する情報的相互作用を行う容れものである。本書では、伊丹の定義を援用して、地域づくりの文脈に適用し、「人が集まり、相互作用を行う枠組みや空間」のことをいい、必ずしも建造物の有無には拘らないこととしたい。その意味では、人とのつながりの中で自分のアイデンティティを感じられるような「居場所」などもこの定義に包含されると考える。

　この多様な領域にまたがる地域づくりにおいて共通する大切なポイントは、飯盛[文4] でも指摘したように、いろいろな人々の相互作用によって、予期もしなかったような新しい活動や価値を次々と生みだし続けていくことである。たとえば、地域づくりに関する何らかのイベントを開催したとしよう。それが終わったら、すべてがなくなってしまうのではなく、イベ

ントを契機としていろいろな人々の出会いや相互作用から、さまざまな活動が派生していくことが求められる。飯盛^{※4}でも簡単に事例を紹介し、本書でさらに立ち上げのプロセスや運営などを詳述する、佐賀市の中心市街地活性化を目指す「わいわい！！ コンテナ」や東京都港区の「芝の家」では、老若男女、多様な人々が参画して、交流が活発に行われ、地域の課題解決につながるような活動が次々と生まれている。

　では、なぜ地域づくりにおいて場づくりが大切になるのだろうか。従来まで、地域においては、講や結などの相互扶助をベースとした課題解決の仕組みがあった。しかし、人口流出や高齢化の進展などで、このような仕組みが機能しなくなりつつあるところもある。そのため、まず、地域内外の人や組織のつながりを再構築する必要があり、場には、そのための拠点となる可能性が見出せることが挙げられる。地域において、人が集まる拠点や何らかの活動がないと、つながりが生まれるきっかけがつくりにくいだろう。その結果、地域づくりにおいて重要な、人や組織の相互作用によって予期もしない何かの価値や活動を生みだすこと、すなわち社会的創発をもたらすことも難しくなる。

　さらに、場においては、将来の地域づくりの担い手の確保・育成につながる可能性が見出せることも大きい。もともと、何らかの活動が楽しそうだから、興味があるからなどの理由で気軽に参加した人たちが、活動を経験していくうちにだんだん人や組織とのつながりが広がり、運営にも加わるようになり、いつの間にか地域づくりの担い手として活躍するようになったという例も各地で目にする。その意味では、場は、地域づくりにおいて、実践共同体（community of practice）としても機能していると言えるだろう。

2 地域づくりにおける場の事例

　ここで地域の課題解決につながる場の例をいくつか紹介したい[文5]。藤沢市では、2015年度から、「地域の縁側」という、市内各地区の課題解決の場づくり事業を展開している。地域の誰もが気軽に立ち寄れて、地域の相談窓口としての機能も備えた多世代交流を実現することを目指している。

　藤沢市では、高齢化の進展や単身世帯の増加などにともない、地域における人と人との関係性が希薄化していることが課題になっていた。そこで、コミュニティを再生し、誰もが支えあい、助けあう気運を醸成して、みんながいきいきと健やかに暮らせる地域づくりを目指して、2015年4月に地域の縁側が立ち上がった。キーワードは「楽しく！ゆるーくつながる」。実施団体は、特定非営利活動法人や社会福祉法人、自治会、任意団体などさまざまである。

　地域の縁側には、基本型、特定型、基幹型の三つのタイプがある。基本型は、多様な人々が気軽に立ち寄れる憩いの場である。特定型は、高齢者や子育て世代など特定の世代や属性を対象とした交流の場。基幹型は、地区内の地域の縁側の中核機能を持ち、生活支援コーディネーターを配置し、一般介護予防事業も実施している。2019年度、藤沢市内には基幹型4カ所、基本型25カ所、特定型7カ所の計36の地域の縁側が活発に活動している。

　2019年12月、飯盛義徳研究会メンバーと湘南大庭地区にある「睦とものわひろば」を訪問した。近所の子どもたちが多数集まって奥の部屋で仲良く遊びつつ、隣の部屋では老若男女が趣味の同好会やパソコン教室などで交流を深めていた。

　地域の縁側は、「縁側」という言葉にその思いが込められている。誰でも気兼ねなく参加してもらい、地域の人々が主体となって何かの活動を生みだすことを主眼としている。

　また、総務省が提唱している、必要最低限の商業機能を確保し、地域の

写真 1　地域の縁側の様子
睦とものわひろばには老若男女多数の人々が訪れる

　人々が相集い、交流が生まれる場である「よろずや」も地域における商業
機能やコミュニティ機能を提供する場と言っていい。条件不利地域におい
ては、人口減少や高齢化の進展によって、生活を維持するために必要な機
能、サービスが行き届かないところもある。そこで、「まち・ひと・しご
と創生総合戦略」では、暮らしを守るための小さな拠点の形成が提唱され
ている。小さな拠点とは、安心して暮らせる地域を支える、地域の人々の
活動・交流や生活サービス機能の集約の場をいう。そして、小さな拠点の
形成に向けた最初のステップとして、必要最低限の商業機能を提供し、地
域の人々の交流が生まれる場であるよろずやの形成が大切であるという方
向性が打ち出された[文6]。

　よろずやは、日常の買い物ニーズを支える、地域の人々が主体となった
コミュニティビジネスとして運営されている。廃校跡や旧役場庁舎、撤退

した商業施設など、集落の中心部にあるような施設を再利用して、地域の人々が店番を担っているところが多い。その役割は、物販（日用品の販売、移動販売など）、ガソリンスタンド（車や農機具、暖房機器などの燃料）、金融（預貯金の引き出し、預け入れ、ATM など）、交流（待合、サロン、生産など）など多岐にわたる。生活維持に必要なさまざまなサービスが生みだされ、見守りなどの生活の安心を支え、問題解決に資することが期待されている。

　島根県雲南市三刀屋町中野にある「笑んがわ市」（中野の里づくり委員会）はよろずやの好例とも言える取り組みである。笑んがわとは、縁側と笑顔をかけたもの。笑顔で交流という想いが込められている。撤退した JA を再活用して、毎週木曜日に、産直市、食事や交流ができるサロンが開催されている。担い手は地域の人々のボランティア。毎回、約50名が訪問し、運営する人々も、買い物する人々も笑い声が絶えない。地域の交流を促進し、高齢者の生きがいになっている。このように、よろずやは、買い物だけにとどまらず、交流や金融、見守りなどさまざまな可能性を秘めている。

　このように、地域の課題解決を目指した場づくりは各地で実践されている。では、効果的な場をどのように創りだせばよいのだろうか。本書では、いくつかの事例をもとに、そのヒントとなるポイントを議論していきたい。

3　本書の内容

　本書では、各地で地域づくりに奮闘している実務家や研究者に参集してもらい、自らの実践に基づいた、効果的な場づくりについての大切なポイントについてまとめてもらった。なお、本書で紹介した取り組みには、何度も足を運んで、活動の状況をつぶさに観察し、時には一緒に汗を流してプログラムに参加したこともある。すべて場と地域づくりを考えるうえで参考になるものばかりである。ここに各章の概要を紹介したい。

写真2　笑んがわ市の外観
開催日には近隣からたくさんの人々が訪れる

　第1章では、株式会社ワークヴィジョンズ代表取締役、建築家の西村
浩氏が自ら立ち上げた、岩見沢市、佐賀市、喜多方市でのプロジェクトを
紹介しながら、地域の持続可能性、波及性を担保する要件について議論す
る。

　西村氏が設計を担当した岩見沢複合駅舎は、2009年度グッドデザイン
大賞を受賞した。建築にあたっては、有志から寄付を募り、名前をレンガ
に刻印する「らぶりっく！！いわみざわ！」プロジェクトを推進し、国内
外4777名の協力者を集めた。ほかにも「ありがとう！仮駅舎」や開業記
念コンサートなどの市民主導のプロジェクトが次々と立ち上がっている。
その成功のポイントとして、人と人とのつながりの再生をあげている。

　佐賀市の中心市街地の空き地を活用して賑わいを取り戻す「わいわ
い！！ コンテナ」プロジェクトは、子どもたちやその親に、空き地に芝
生を貼ってもらい、樹木を植えて、自分たちが関わった広場と認識しても
らうことに成功した。その結果、人が集まり交流する空間が実現し、人の

流れができることで、周囲に商店が戻ってきている。

　また、喜多方市での「南町2850プロジェクト」では、高校生を対象とした、老朽化した蔵屋敷をどう活かすかを考えてもらう「空き地デザインワークショップ」を実施。多様な議論の結果、小さな子どもたちが裸足で走り回れる芝生の広場をつくり、地域の人たちの協力も得て、その整備方針まで決定した。参加した高校生は卒業しても時折戻り、芝の手入れをしたり、蔵の掃除をしたり、地域の人たちとの交流が続いている。

　そして、人口増加を背景とする、開発一辺倒であった20世紀型の地域づくりの手法がもはや通用しないことを指摘したうえで、地域づくりの持続性の担保には、地域へ関わりたいという動機づくりにつながる仕掛けが重要で、コト・ヒト・モノ・カネが連鎖的に循環して、その効果が次々と波及していくことが求められると結論づけている。数々の地域で交流を活発にしている西村氏の主張は、地域づくりにおける実践知に満ちあふれていると言えよう。

　第2章では、東京都市大学准教授の坂倉杏介氏が立ち上げ、運営している「芝の家」でのアクションリサーチの成果を紹介する。芝の家は、港区芝地区総合支所と慶應義塾大学との連携によって、2008年に始まった都心のコミュニティ形成のための実証事業である。芝の家は、木造家屋が建ち並ぶ、狭い路地沿いにある。外観は、周囲と馴染むように、古い建具や古材によってリノベーションされて、縁側も設置されている。室内には、ちゃぶ台やソファが置かれ、薄暗い照明のもと、懐かしい雰囲気を醸し出している。月曜日から土曜日までの週5日間オープンしており、乳児から高齢者までの多世代が集う場になっている。

　特徴は、芝の家での出会いや活動がきっかけとなって、地域の人々主導の活動がたくさん生まれていることだ。坂倉氏は、あらかじめターゲットや提供サービスを固定化せずに、来場者する人の行動やニーズを観察しながら最適な運営方法を模索するというアプローチが奏功したと分析している。また、来場者同士が信頼関係を構築しつつ、その場で起こったささや

かな出来事を丁寧に見守り、受け入れていくという気持ちが、参加している人々のエネルギーを活性化し、主体的に動き出したくなる気持ちを引き出すと論じている。

　一方、課題としては、安心して交流できるような環境を醸成し、人と人をつなげることができるようなキーパーソンをいかに確保、育成すべきか、ということを指摘している。このような課題を解決するために、自分のやりたいことを地域につなげていく、価値創造志向の講座である「ご近所イノベータ養成講座」を2012年に立ち上げた。このように場と人材という視点からのアプローチは、数々の実践、経験に裏付けられており、「設計科学」にも通じるものがあると考える。

　第3章は、慶應義塾大学特任講師の伴恵美子氏による多世代交流の居場所づくりに関する実践の足跡を記したものである。2016年11月、神奈川県湯河原町の住宅街に、湯河原町や大学との連携による、多世代の人々が交流する拠点「ゆがわらっことつくる多世代の居場所」(以下、多世代の居場所)が開所した。築30年以上経過した、何年も使われていなかった木造2階建ての民家を耐震補強して再生。庭にはシンボルとなるみかんの木を植え、私道に面した居間にはベンチとしても利用できる縁側を設置して、家の中と外とをつなぐ工夫をした。これは、共同研究者である、上述の坂倉杏介氏のアドバイスによるものである。

　車道を挟んで向かい側にはさくらんぼ公園があり、毎日、大勢の子どもたちが遊んでいる。多世代の居場所が開所されている時は、公園から見えるところにのぼりが掲げられ、それを目当てに子どもたちが遊びにくる。多世代の居場所の特徴は、子どもが中心であること、多世代の人々を対象としていること、交流を促すプラットフォームを志していることが上げられる。もともとは、多世代共創コミュニティの有効性を検証する研究者と、安心できる居場所が欲しいという子どもたちとの出会いからスタートした。

　2015年11月には、ワークショップを7回開催。2016年には放課後リノベーションと題し、約7カ月の間に延べ30回にわたるリノベーション

活動を実施。子どもをはじめ、学生、地域の人々などの素人と建築家や大工などの専門家が力を合わせて、柱、壁、床の解体、壁塗り、フローリング張りなどのすべての作業を行った。これにより、関係者の当事者意識が高まったと言えるだろう。そして、多世代の居場所に参加することで前向きな心理状態が生まれることや大学生スタッフにとって成長の機会につながっていることを指摘している。

第4章は、滋賀県立大学講師の上田洋平氏が編み出した「ふるさと絵屏風」の実践の記録である。ふるさと絵屏風は、地域の人々の五感体験や生活体験に関する記憶をもとに、さまざまな人々とのコラボレーションによって地域の生活誌を絵図として書き上げるものであり、心象絵図と呼ぶこともある。ただ単に昔の絵を作成して懐古するわけではない。地域の文脈に根ざした固有の文化を洗い出すことで、多世代の人々とのコミュニケーションを誘発することを目指すものである。

地域の老若男女が力を合わせて「つくって・つかって・そだてる」ための体系化された手法を「心象図法」と呼んでいる。心象図法は、五感体験アンケート、聞き取り、絵図の制作、活用というプロセスで構成される。個々の人々の記憶や思い出を持ち寄り、意見交換しながら意味づけをしていくことで地域の資源を深く認識することができる。

さらに、完成した絵図は、時間や季節を超越して、百聞を一見にした地域の資源のパノ

ラマとなっている。それを活用して子どもたちに地域の昔の遊びやお祭り
の様子などを伝えることで、文化の承継につながり、そこから世代をこえ
たコミュニケーションが始まる。地域の過去の生活を記録・保存して未来
につなげるというだけでなく、現在の視点から地域の過去を見つめ直し、

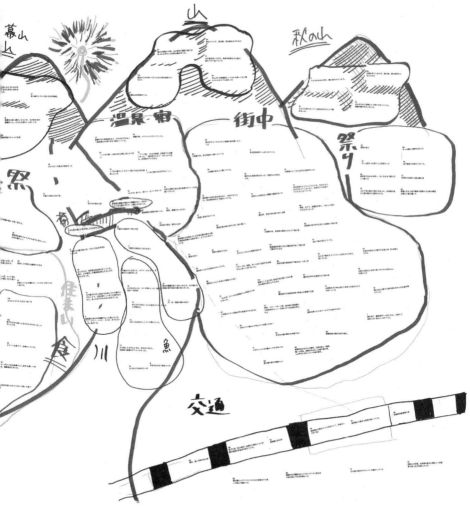

図1　心象図法で用いる五感体験マンダラの例（制作：未病に取り組む多世代共創コミュニティの形成・
ふるさと絵屏風プロジェクト、2016 年）

先達の営みに学びながら地域の歴史や文化を踏まえた未来を創造していくことにつながる、すなわち地域の資源化を促進することになるわけである。

　地域における多世代交流は、その重要性が提起されているものの、地域づくりにまでつなげていくにはさまざまなハードルが立ちはだかる。ふるさと絵屏風は、地域の人々と子どもたちとの交流の契機を提供して、地域の資源を見つめ直して、次につながる可能性を秘めていると言えるだろう。

　終章は、これまでの章を振り返り、地域づくりに役立つ場づくりの要諦について議論する。効果的な場づくりには、多様な人々が参画しやすいような空間をどのように設計するのか、場でどのような事業やプログラムを推し進めるのか、継続的な運営のためにどのような仕組みを取り入れるのか、という視点が大切であり、これらは相互補完的に関わっていると言えよう。これまで紹介した取り組みのエッセンスから、そのポイントについてまとめる。

引用文献

1.Oldenburg, Ray (1999) *The Great Good Place: cafes, coffee shops, bookstores, bars, hair salons, and other hangouts at the heart of a community*, Marlowe & Company（忠平美幸訳『サードプレイス：コミュニティの核になる「とびきり居心地よい場所」』みすず書房、2013 年）
2. 小田切徳美（2014）『農山村は消滅しない』岩波書店
3. 伊丹敬之（1999）『場のマネジメント―経営の新パラダイム』NTT 出版
4. 飯盛義徳（2015）『地域づくりのプラットフォーム』学芸出版社
　慶應義塾大学湘南藤沢学会（2017）『KEIO SFC JOURNAL』Vol.16、No. 2、紀伊國屋書店
5. 藤沢市の Web サイト〈http://www.city.fujisawa.kanagawa.jp/〉
6. 総務省自治行政局地域振興室(2015)『「小さな拠点」の形成に向けた新しい「よろずや」づくり』

参考文献

・ Wenger, Etienne (1998) *Communities of Practice: Learning, Meaning, and Identity*, Cambridge University Press.

1章 まちづくりの持続可能性を支える仕掛け

西村浩

「まちづくり」という言葉があやしい。そもそも街はつくるものではない。人それぞれの日々の営みの集積が、結果として街を印象づける風景を生むだけの話だ。問題は、その営みが豊かであるかどうか、その営みが社会の変化に柔軟に対応しながら、無理なく持続可能かどうかということである。

本章では、人口減少というフェーズに突入した日本におけるまちづくりの「持続可能性」を支える仕掛けについて、事例を交えて解説したい。

1 発明の時代へ ── 20世紀の手法はもう通用しない

　地方都市の疲弊ぶりが激しい。かつては商業で賑わった中心市街地の空洞化に歯止めが効かない状況だ。すでに2013年時点で、日本の空き家は820万戸、空き家率は13.5％にも達し、2033年には、その数2100万戸を軽々と超え、空き家率は30.4％にも到達する予測である。そして空き家は解体されて空き地となり、地方都市の中心市街地は青空駐車場だらけの土地利用に固着していく。増え続ける駐車場は価格競争に陥り、急速に土地の収益力は低下して、路線価の低下すなわち固定資産税収入の激減を招く。税収減は結果的に市民サービスの低下につながり、人気のない自治体からは人口が流出していく。行政や市民も無策だったわけではない。あの手この手でこの状況を好転させようと努力してきたはずだが、成果は思わしくないというのが正直なところだろう。

　日本の人口は、2008年のピークで約1億2808万人。さかのぼって明治維新（1868年）の頃には3300万人程度なので、なんと約140年間で一気に約9500万人も増えたことになる。結果、日本の都市は、高度経済成長の波に乗って、中心から周縁へ次々と開発を進め、急速に都市を拡大していった。道路も建物も供給不足気味でつくれば必ず使われ、土地も所有すれば儲かる時代だった。

　ところが今、人口は減少局面に突入し、高齢化とともに生産年齢人口も減少。経済成長の勢いも衰えるなかで、当然のことながら、都市を拡大する時代ではなくなった。縮退を前提に、膨大な量の既存のストックを活かしながら、都市を再編集する時代の到来である。

　にもかかわらず、地方都市では、空き家と青空駐車場だらけの状況にこれまでどおり“再開発”という言葉が飛び交い、さらに床を増やそうという勢いがまだ止まらない。「車だらけで危なくて街なかには行けない」と訴える子育て世代の母親の声に耳を貸さず、商店街の先輩方は、今でも“車

が客を連れてくる"と信じている。20世紀の時代の勢いは、その慣性力によって、人々の発想の転換を鈍らせている。これが、街をなんとかしたいという思いや努力が報われない一番の原因だ。疲弊し続ける地方都市の再生を目指すうえで、20世紀に編み出された既成の手法は、もはや通用しないと考えたほうがいい。まだ誰も経験したことがない縮退の時代に向かって、根拠のない"前例主義"を捨て、新しい都市計画手法の"発明"が求められているのである。社会の価値観は180度変わったのだ。

　そして常に意識的であるべきことは、まちづくりは時間がかかるということだ。多くの都市で行われている行政主導の取り組みは、予算措置の関係上、単年度主義になりがちで、単年度での分かりやすい成果を欲する傾向にある。一過性のイベントがそうだ。一時的には街の風景を一変させるが、終了後は何事もなかったかのような疲弊した風景に元通りである。大切なことは、長期的な視点で街の再生戦略を立て、それに向かって着実に足を進めることだ。1年での成果ということも大事だが、それが以降にどうつながるか、まちづくりの持続可能性をどう担保するが重要だ。

2　岩見沢複合駅舎（北海道）── 人を育てる

◆計画の始まり

　2000年12月、長らく市民に親しまれてきた3代目岩見沢駅舎が焼失。1933年（昭和8年）以降、約70年余年にわたり、岩見沢の街を見守ってきた駅舎を失ったことは、市民にとってあまりにも衝撃的で悲しい出来事だった。それから約8年の時が過ぎ、2009年3月、悲願の4代目岩見沢駅舎が市施設との複合施設として完成し、岩見沢に新たな"街の顔"が誕生した（写真1）。

　この施設は、2004年度に実施された、JRグループでは全国初の試みと

写真 1 　岩見沢複合駅舎（北海道岩見沢市）

なる一般公募型コンペ「岩見沢駅舎建築デザインコンペ」(応募総数376案)
にて（株）ワークヴィジョンズ（代表：西村浩）が最優秀賞を受賞し、そ
の案に基づいて設計と建設を進めてきたものである。

◆ 4代目岩見沢駅舎の意味 —— 街の未来を見据える舞台として

　岩見沢は、石炭産業の発展を背景に物資輸送の要衝として栄えた鉄道の
街である。最盛期には、岩見沢操車場は東北以北随一の規模となり、駅職
員は500人を優に超えたと聞く。当時の古写真を見ると、駅舎こそ木造
平屋の建物だったが、周辺には堅牢なレンガ造の機関庫や工場が所狭しと
立ち並んでいた。そこには、国力の増強に価値を置いていた殖産興業時代
の活気溢れる風景があった（写真2）。しかし、今、岩見沢の中心市街地は、
多くの商店がシャッターで閉じられ、家屋が解体された後の空き地が駐車
場…といった具合で、人々の賑わいのない典型的な凋落の風景が広がって
いる。

　この現代に生まれる4代目岩見沢駅舎には、建築という枠を超えて、街
再生へ向かう強い意志が求められている。そこで、この駅舎が"街の顔"
となり、岩見沢という街が再び賑わいを取り戻す契機となるよう、街が最
も活気にあふれた明治大正期の記憶をこの駅舎を通じて人々に伝えていき
たいと考えた。まずは、これからの街を担う若者たちに岩見沢の記憶を伝
え、そこから改めて未来を考える環境を整えなければならない。新しく生
まれた駅舎は、岩見沢の未来を見据える舞台である。過去から未来へと時
をつなぐ駅舎でありたいと思った。

　昨今吹き荒れる"グローバリゼーションの風"が地方独特の風土や文化
の記憶を急速に風化させつつある今、全国地方都市が一様に疲弊し、もが
き苦しんでいる風景を目の当たりにするたびに、いまこそ地域の記憶に根
ざした"閉じた"文化圏、個性ある「誇るべき地方」を再生すべきと強く
思う。そのような社会状況のなか、「わが街の駅が新しく生まれ変わる」

写真2
大正期の岩見沢停車場構
内

という機会を得た岩見沢の街は、ある意味幸運だったと言えるかもしれない。

　駅からまちづくりへ。この施設の本当の価値は、地域のよさを掘り起こし、人と人とのつながりを再生しながら、これからのまちづくりにつなげていくことにある。4代目岩見沢駅舎は、その始まりにすぎないのである。

　以下、今後のまちづくりにつなげていくために、市民とともに実施してきた協働プロジェクトについて紹介する。

◆市民がまちづくりの当事者となる ──岩見沢レンガプロジェクト

　世界中の人々に向けて、駅前広場に面した総長137mの複合駅舎の外壁に使うレンガの寄付を募り、参加者の名前を刻印して残すというプロジェクトの構想は、コンペ時の提案内容でもあった。「複合駅舎という公共性の高い建築物におけるサステイナブルなあり方」は、長年市民に親しまれてきた先代（3代目岩見沢駅舎）がそうであったように、まずは市民が愛着を持ち、大切にされ続けることによってこそ可能になるのではないかと思う。3代目駅舎の消失後、市民が待ち望んでいた新しい駅舎建設への希望と熱意を未来に伝えていくと同時に、複合駅舎そのものも「市民に愛される駅」として成長していくものにするために、刻印レンガという媒体を使って市民が複合駅舎建設の当事者となり、「一緒につくる喜び」を感じて欲しいという思いでこのプロジェクトを提案した。

実現するにあたっては、ある岩見沢市民との出会いが大きかった。「提案はしたものの、果たして市民の賛同が得られるか？ どのように進めていけばよいだろうか？」と思案していた時、偶然札幌で出会った一人の岩見沢市民を通じて、仲間を集めていただいた。この時集まったメンバーが後に「岩見沢レンガプロジェクト事務局」を立ち上げ、複合駅舎完成までのおよそ4年にわたってレンガプロジェクトを支えてくれた。2005年の夏のことである。

　市民有志の賛同を得て事務局の立ち上げにいたるまでには、いくつかの「乗り越えるべき壁」があったことは言うまでもない。岩見沢市と並んで発注者であるJR北海道社内でも、当初、「複合駅舎という公共性の高い建築物の外壁に個人の名前を刻む」という点については相当の議論がなされたと聞く。また岩見沢市においても、「市民有志の意思だけでどこまでの活動できるのか？活動のために必要な予算はどうするのか？」など、疑念の声もあった。そこで、市民と協議をしながら企画書を作成し、事務局本部を地元岩見沢に、東京のワークヴィジョンズに支部を置き、活動組織を構築した。発足時に必要だった準備資金については、事務局メンバーが供託金として出し合った。こうして第一歩を踏み出した事務局には最終的にJR北海道や岩見沢市にもオブザーバーとして参加いただくことになり、活動を実現するための関係各所への説明・調整とさまざまな面で大きな力を貸していただいた。2005年11月3日（文化の日）、ここに市民、行政、JR北海道、設計者というそれぞれの立場が連携する新たなかたちで「岩見沢レンガプロジェクト事務局」が生まれたのである。

　事務局ではこの活動を地元岩見沢はもちろん、道内、国内、世界に向けて発信すべく、参加者募集は地元岩見沢の事務局と、インターネットを使ったWEBを通じて行うこととし、発足以降毎月1回の定例ミーティングを行いながら募集に向けて応募要項の作成、告知ポスターの制作、申込受付体制づくり、受付開始イベント開催の準備を進め、WEBの制作は世界で活躍中のインターフェイスデザイナー である中村勇吾氏にお願いした

写真3
刻印レンガ募集の
WEB SITE

（写真3）。

　合い言葉は「故郷を愛する心」「岩見沢が日本中、世界中の人々から愛
されるまちになるようにという想い」と、Brick（レンガ）を合わせて「ら
ぶりっく！！いわみざわ！―ひとつのレンガがまちをつくる―」。レンガ
は材料代と刻印代にWEBの決済手数料等を加算して1個／人1500円と
した。募集は2006年4月1日より地元岩見沢の事務局で先行受付開始、
5月15日よりWEB受付を開始したところ、岩見沢の事務局には地元岩
見沢市民をはじめ、近隣の市町村からの参加希望者のほか、岩見沢がかつ
て「鉄道の要衝」であったことから、遠くは埼玉県から駆けつけた鉄道フ
ァンの姿もあった。またWEB上では、参加者が一人ひとりの岩見沢の街
に対する思いや、熱い応援メッセージが書き込まれた仮想のレンガが積み
上がり、9月30日の締め切り日に、実に国内45都道府県、海外7カ国
から4777名の申し込みがあったことは、事務局メンバーにとって「駅を
拠点としたまちづくり」という視点と、「複合駅舎の建設こそが新しいま
ちづくりのスタートをきる契機となる」ことをまさに実感できた瞬間だっ
たと思う。

　翌2008年夏、いよいよ刻印レンガが複合駅舎の外壁に施工される。刻

印用のレンガは事務局から施工 JV のレンガ施工会社を経由して岩見沢近郊のレンガ工場に発注し、刻印加工は市内 4 社の石材業者に依頼して行った。およそ 3 カ月後の 12 月、複合駅舎の 2 期工事にあたる有明交流プラザと有明連絡歩道の竣工、開業を目前に控え、現場を覆っていた仮囲いの撤去にタイミングを合わせて 4777 個の刻印レンガを公開した（写真 4、5、6）。

　有明交流プラザ〜JR 岩見沢駅〜南昇降棟に続く全長 137m の壁の前には、みな一様に真っ赤なレンガの壁を眺め、自分の刻印レンガを探す様子がうかがえる。笑顔で写真を撮っている。岩見沢複合駅舎完成以降、明らかに駅に人が集う姿が目立つようになったように思う（写真 7）。

写真 4　名前と出身地が刻まれたレンガ壁

写真 5　刻印加工の様子

写真 6　除幕式の飾り付けをする子どもたち

写真 7　刻印レンガを探す人々

◆駅からまちづくりへ ── 駅建設プロセスにおける市民との協働の意義

　2005 年のコンペ以降、市民の方々との協働でいくつかの駅に関わるイベントを実施してきた。前述した刻印レンガ募集プロジェクト「らぶりっく！！いわみざわ」から始まり、3 代目駅舎焼失後、お世話になってきた仮駅舎に感謝を示すプロジェクト「ありがとう！仮駅舎」（写真 8）、駅前の巨大クリスマスツリーの点灯とともに刻印レンガをお披露目するイベント「らぶりっく！イルミネーション」、そして 2009 年 3 月 30 日の複合駅舎グランドオープンに合わせて催された「開業記念コンサート」などである。いずれのプロジェクトも各種メディアで取り上げられ、大人も子どもも含めて数多くの参加者で賑わい、実施に向けて熱心に活動してきたプロジェクトメンバーたちの努力のおかげで大成功に終わったが、イベントの成功云々以上に、この 4 年間の市民との協働には大きな意義がある。

　それは、人と人とのつながりの再生である。岩見沢レンガプロジェクト事務局設立当初は、市民有志約 10 名に岩見沢市・JR 北海道・設計者であるワークヴィジョンズを加えた、ある程度限られた人数のメンバーで始まった市民協働プロジェクトであったが、その後次々とイベントを継続し

写真 8
ありがとう！仮駅舎

写真9
仲間を増やし続ける市
民の皆さん

ていくうちに、（社）岩見沢青年会議所との連携、地元岩見沢にある北海道教育大学芸術課程の先生方や学生らの参画と、人材の輪が広がり、刻印レンガお披露目イベント実施の際には、岩見沢市商工会議所を筆頭に観光協会ほか27を超える市内諸団体の参加へと拡大したのである。

　その後、レンガプロジェクト事務局は、メンバーのなかの一番の若手に次期の運営を託し、50代が中心だった事務局から40代へと若い世代に引き継がれ、完成して10年余りが経過した今、その組織形態を変えながらも、若者を中心に仲間を増やし続けながら、次なるまちづくりに取り組んでいる。複合駅舎のレンガに込められた市民、参加者一人ひとりの熱い思いが、これから先の岩見沢のまちづくりを支えてくれるであろうと確信している。次世代に引き継がれたレンガプロジェクトと今後の岩見沢のまちづくりの展開が楽しみである。（写真9）。

　まちづくりは、結局は人である。市民の仲間が雪だるま式に増えていくなかで、駅に込められた想いやこれからの街への想いを、数多くの市民との会話を通じて共有できた。そして、駅建設を通じて生まれてきた人と人とのつながりは、未来の岩見沢の街を支える大きな原動力となることは間違いないだろう。「まちづくりは人づくり」であることを改めて実感したプロジェクトだった。

3 佐賀市の街なか再生 —— 動機の連鎖をつくる

◆ "空き" のマネジメント

僕は、九州の佐賀県佐賀市の出身だ。人口は合併後で23.1万人（2021年2月現在）、県庁所在地としてはそれほど大きくない規模の都市である。それでも1970年代、僕が小学生だった頃は、佐賀市の街なかは、商店が軒を連ねてアーケードを形成し、多くの市民で日常的に賑わっていたものだ。お祭りの時には迷子になった記憶もあるほどだった。

しかし、大学や仕事でしばらく佐賀を離れ、「佐賀の街をなんとかして欲しい」という依頼で再び佐賀に戻ってきた時には、僕の記憶にある街の姿は完全になくなっていた。街なかは青空駐車場だらけで、商店の多くはシャッターが閉まり、まったく人気がない。衝撃的な風景だった（写真10）。市民や行政もただただ手をこまねいて傍観してきたわけではなく、なんとか街の衰退を食い止めようと努力してきたはずだが、残念ながら、その努力を超えて、社会状況の変化のほうが圧倒してしまっている。

写真 10
駐車場だらけの佐賀市中
心市街地
（2015 年撮影）

街なかは、本来、商業集積地である。右肩上がりの時代であれば、区画整理や再開発といった手法で、再び高密度な商業地再生を目論むところだが、急激な人口減少や高齢化とそれにともなう経済の縮小を考えると、それは無謀な試みだ。

　まずは、街なかの“空き”を認めることが肝要で、その“空き”の価値を再考し、“空き”の配置やありようをマネジメントしていくことのほうが現実的だ。新たな価値を持つ“空き”の力で、その周囲の土地利用の代謝を活発化させるのが狙いだ。これからの街再生には、既成手法のトレースではまったく役に立たない。ここには発明的な発想が必要で、政治・行政・地域住民が一体となって、そのアイデアを実践する覚悟が不可欠だと思っている。

◆動機の連鎖を生む仕掛け

　2011 年から始まった「わいわい！！コンテナプロジェクト」は、中心市街地の“空き”を受け入れ、“空き”の価値を再考するための社会実験である（写真 11）。

　その先にある街の再生戦略は、街なかに増殖する青空駐車場や遊休地を“原っぱ”に置き換えることだ。“原っぱ”は公園とは違う。市民自らが決めたルール以外、利用制限はなく、市民の自己責任で活用される。ドラえもんに出てくる、ドカンが山積みにされた空き地のイメージだ。子どもたちが自由に遊び、それを周囲の大人たちが温かく見守っている。マナーさえ守れば商売も可能で、イベントも自由に行える。ここには、行政頼りだった市民の意識を変え、地域住民の自由な発想や行動意欲を引き出す力がある。加えて、“原っぱ”には中古コンテナを使った雑誌図書館や交流スペースを設置し、来街や回遊を促すプログラムや持続可能な維持管理・運営の仕組みの検証を行ってきた。

　結果、しだいに夜の飲み屋街となりつつある街なかに、昼間の時間を消

写真12
子どもたちによる空き
地の芝張り

費する空間を用意したことで、平日でも日常的に多くの市民が訪れるように
なり、街なかの回遊人口が増加しつつある。とくに子どもたちの利用が
多く、街と子どもたちの関わりが再生されてきたことは、まちづくりの担
い手を育成していく必要性からも大きな意味を持つ。また、「人が集まる
ところには市が立つ」というように、わいわい！！コンテナの周囲では、
店舗の売上向上や新規出店も見られるようになってきた。ここでは、世代
を超えた人と人の出会いの機会も生まれ、日常生活を持続的に支えていく
ために必要なコミュニティの再生も実感でき、しだいに街の"基礎体力"
が回復していく様子がわかる。

　また、駐車場の"原っぱ"化によって、商業中心の街なかに、子育てや
お年寄りの散歩にも適した暮らしの環境が生まれ、街なか居住の動機につ
ながっていく。今後、街なかの居住人口が増え来街者が増えれば、身の丈
にあった商売が再び成り立つようになる。そして、人が日常的に集まる"原
っぱ"周辺には、新規建設の動機に加えて、リノベーションやコンバージ
ョンの動機が生まれ、既存ストックの活用促進も期待できる。人と知恵が
日常的に集まる動機づくりとそれを持続的に支える仕組みこそが、街再生
の始まりである。

写真 11　わいわい‼ コンテナ 2

◆見えてきた課題 —— 物件化していない空き不動産とプレイヤー不足

　佐賀の街なか再生に関わり始めて3年ほどが過ぎると、商店街の様子にも少し変化が見え始めた。とくに、2012年に始まった「わいわい！！コンテナ2」のある呉服元町商店街は、今や子どもたちの声が聞こえる明るい雰囲気になった。空いている土地を見つけては、そこに芝生を貼り樹木を植えてきた成果もあって、見た目にも心地良い潤いのある風景に変わってきた（写真13、14）。市民の方々からも「このあたり、ずいぶん雰囲気がよくなったよね！」との嬉しい声が届くようになった（写真15、16）。

　とはいえ、2015年頃は、まだまだこの商店街に多くの空き店舗があり、このエリアへ出店を希望するプレイヤーと、空き店舗を所有する不動産オーナーのマッチングを進める必要があるのだが、地方都市では、空き店舗に対してプレイヤーの数が圧倒的に不足しているということと、シャッターが閉まっていても貸し物件になっていないという課題があって、なかなかシャッターが開かないという現実が見え始めていた。

　その原因は二つある。一つは、不動産オーナーの問題である。シャッターが閉まったままになっているものの、オーナーは賃貸物件として市場に出さないのだ。また、賃貸物件として出したとしても、家賃設定が高すぎ

写真13・14　わいわい‼コンテナ2周辺の街なかの変化（左：2009年・右2015年）
2021年にわいわい！！コンテナ2がはじまって以降、近隣への民間投資が連鎖的に発生し、街なかの様子は一気に変わった。右写真の左手前はチャレンジショップ

て、現在の相場に合わないのである。わいわい！！コンテナという道具で、新しい街のユーザーをマグネットすることが少しずつ形になってきて、次は、不動産オーナーと交渉を続けて、不動産を"物件化"してもらうことと、現在の家賃相場にあった家賃設定を了解してもらうことが必要だった。

　もう一つは、ビジネスコンテンツのアイデアとそれを持続的可能な事業にすることができる人材が限られていることだ。実力を備えたプレイヤーが少ないのだ。とくに地方都市では、空き物件はあっても、そこで当事者として行動を起こすプレイヤーが限られていて、ハードに投資をする前に、人材の発掘と育成から始める必要があるように思われた。

◆街で育ったプレイヤーが街を変える
──マチノシゴトバCOTOCO 215からON THE ROOFへ

　わいわい！！コンテナ2という場を、すっかり寂れてしまった商店街に開いたのが2012年。シャッターだらけで昼間には人気の少ない夜の飲み屋街が、朝から子どもとお母さんたちが集まる街となり、エリアのイメージは確実に変わっていった。良い方向のイメージが広く伝わり始めると、写真家、アパレル、デザイナー、IT系のクリエーター、クラフト系のママたちといった感度の高い人材が少しずつ集まり始め、この呉服元町エリ

写真15・16　わいわい!!コンテナ2周辺の街なかの変化（左：2008年・右2015年）
人気のない"シャッター商店街"がアーケードを撤去し、明るい雰囲気に変化。さらに2014年にワークヴィジョンズ佐賀オフィス兼シェアオフィスの開発により、人の流れが大きく変わった

アに店舗やオフィスを構える動きが少しずつ見られるようになった。エリアの価値が変化してきた兆候だ。

　僕自身も 2014 年、わいわい！！コンテナ 2 から約 200ｍ 程北にある角地に、自社の佐賀オフィス兼シェアオフィスである「マチノシゴトバ COTOCO 215」を開設し、街のプレイヤーの一人として活動を始めることになった（写真 17）。地方都市におけるシェアオフィスという事業は、大都市圏に比べると家賃相場が低いため、収益性においてはそれほど期待できるものではないが、働く場をシェアしながらイベント利用にも場所を提供することで、これから起業し、成長していこうという人材や異分野異業種の人材と情報に出会える機会が得られたことは、結果的にその後のエリアリノベーションを進めていくうえでの強力なエンジンとなった。

　そんな状況のなか、COTOCO 215 のすぐ隣にずっと気になっている空きビルがあった。当時でもう 10 年余り、通りに面した 2 層の高さに及ぶ大きなシャッターが閉まったままの鉄筋コンクリート造 4 階建て、延べ床面積約 400 坪の元呉服屋の建物だ。木造の建物が多く残る佐賀市の中心市街地においては比較的大きな建物で、それだけに 10 年も閉鎖されたままという状況は、街の雰囲気に大きな影を落としていた。「どうにかならないものか…」と思っていたのは、僕だけではないだろう（写真 18）。

写真 17
マチノシゴトバ
COTOCO 215
（ワークヴィジョンズ佐賀オフィス＋コワーキングスペース）

この物件に関わることになるきっかけは、同じ通りに服のプリントショップ「PRESS」を出店していた若者たちが、「場所が狭くなったので他のエリアに移転したい」と言い始めたことだった。彼らはデザインや映像の仕事も行っていて、若者を中心に人が集まる人気のお店である。佐賀市が県庁所在地とはいえ、市町村合併後の人口で23万人程度、お隣の大都市博多まで鉄道特急利用でわずか40分弱で移動できる立地となれば、佐賀を出て博多に活動の場を求める人や、また車で便利な郊外を選択する人が多く、佐賀の中心市街地で活動してきた彼らは間違いなく貴重なプレイヤーである。簡単にいえば、彼らをこの呉服元町に留めたい、そのためにも彼らの新しい活動の拠点をつくらなければならないということが事の始まりだった。

　とはいえ、話はそう簡単ではない。400坪の床を埋めるだけのプレイヤーを集めて、その家賃収入でリノベーションの投資を回収する事業を組み立て、さらにはそのために必要な資金調達も目処を立てないかぎり、スタートラインにさえ立てないのである。

　まずは、この物件のオーナーに話をうかがうことから始めたが、実は最終的には、オーナーに代わっていただく選択を行った。元オーナーの企業はすでに佐賀に所在がないことから、そもそも物件を管理することが困難

写真18
10年余りシャッターを
閉めていた空きビル

であること、さらには想像するに佐賀の街に対する想いも薄らいでいる感じが見受けられたからだ。リノベーション事業は、不動産オーナーの考え方しだいで、その行く末は大きく変わる。残念ながら僕にはこの物件を購入できるほどの資金力はないので、新しいオーナーには、佐賀の街の未来に強い想いを持っておられる、ある地元企業の会長に相談を持ち込ませていただいた。「この物件を購入していただけませんか？」そんなダイレクトなお願いから始まった相談だったが、当然のことながら、その事業性が見えなければ話にならない。

　事業スキームは、ビルの改修に投資をして運営を行う SPC「オン・ザ・ルーフ株式会社」を設立し、SPC がオーナーから一括借り上げをして、各テナントに転貸、その差益で投資回収を行う仕組みである（図1）。シンプルなスキームであるが、オーナーにとっては、一括借り上げなので、テナントの出入りを管理しなくていいというメリットがある。事業の持続性のポイントは、当然のことながら高いテナント入居率を維持できるかどうかだが、それを支えるのがここに入居する人たちのコミュニティである。ビル運営は、ただ単にテナントが埋まればいいというわけではない。再生するビル自体のコンセプトに合わせて、どういう属性の入居者を集めるか、それによって入居者にどのような価値を提供できるかということが、今後の持続的なビル運営を大きく左右する。

　ビルの新しい名前は、「ON THE ROOF」に決めた。4階建てなのでそれほど大きなビルではないが、屋上に上ると、南には有明海に向かう佐賀平野の真っ平らな風景を、北には福岡県との県境となる背振山地を望むことができ、この佐賀の豊かな風景をより多くの方々に体験して欲しいと思ったからだ。そして、ON THE ROOF のコンセプトは「街をハレの舞台に」だ。シャッターだらけでどことなく暗い雰囲気の街を常にポジティブで明るいハレの舞台に変えたいと考えた。だから、入居してもらうテナントには、街をハレの舞台に変えるアイデアと行動力を兼ね備えたクリエーターやデザイナーを対象に探し始めた。投資をするオーナーや融資元の銀行の

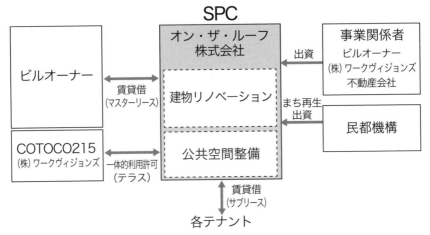

図1　空きビル再生の事業スキーム

　心を動かすために重要なことは、テナントの"先付け"だ。担保価値が少ない古い物件であっても、入居したいというテナントがすでにいて、それにともなう家賃収入が事業性を持って見込めれば、投資や融資をする未来が見えるはずだ。それでも、10年余り閉鎖していたビルそのままに、そのコンセプト「街をハレの舞台に」だけを頼りにテナントを探すことに不安はあったが、それは取り越し苦労だった。

　2012年に始まったわいわい！！コンテナ2から5年が経過し、呉服元町エリアは「お店を出したい場所」「働きたい場所」というイメージが定着したように思えた。また、初期に呉服元町エリアに出店していたプレイヤーが新たな事業展開を考える時期になっていて、"2店舗目"や"新規事業"の場所として、ON THE ROOF のテナント候補はすぐに集まった。ON THE ROOF のデザインについては、入居者と一緒に検討してきたので、テナントでありながらこの事業への思い入れは強い。そして、テナントの先付けができた時点で、ON THE ROOF という事業がオーナーに了承されたのは言うまでもない。そして2018年、ON THE ROOF は無事にオープンを迎えることができた（写真19）。

写真 19
空きビルのリノベーション事例
ON THE ROOF の様子

　佐賀市の呉服元町エリアの再生プロセスとその魅力は、メディアを通じて広く伝わっていたようで、地元佐賀だけでなく、次々と首都圏からの入居希望者もいたことは予想外ではあった。それもまた、街で育ったプレイヤーたちの活躍の成果である。自分たちが育った街は、自分たちでつくりあげてきた街でもあり、だから大好きな場所なのだ。大好きな場所からはなかなか出ていかないし、むしろ一緒に活動したい仲間をこのエリアに呼び込んできてくれる。そしてさらに人が集まるエリアに成長していく。

　思い返せば、僕自身も子どもの頃から佐賀の街なかで育った人間だ。街なかで過ごした子どもの頃の記憶が、再び疲弊した街なかの再生に関わろうと決めたきっかけだ。街に暮らし、街に育つことがいかに大切であるかということを思い返すことになったのが、この ON THE ROOF である。そう考えると、中心市街地再生、商店街再生が着実に進んでいくコツは、突き詰めれば、子どもたちの体験や教育にあるというところに行き着くように思う。20 年先の未来は、今どう行動するかで大きく変わるのである。

4 喜多方小田付蔵通り「南町 2850 プロジェクト」
── 未来の担い手を育成する教育の重要性

◆プロジェクトの始まり

　福島県の北東部、飯豊山をはじめとする 2000m 級の山々に囲まれた会津盆地のなかに位置する喜多方市は、万年雪の山、飯豊山からの豊富な水と、盆地特有の四季がはっきりした気候に恵まれ、古くから農業が栄えた街である。農は醸造業を育み、それら農や醸造が蔵文化を生みだす一因にもなった。

　地域には「男 40 にして蔵を建てられぬようでは一丁前ではない」という言葉があるとおり、江戸時代末期〜昭和初期にかけて男衆が蔵を建て競った歴史がある。喜多方市は、現在でも 4000 棟以上の蔵が残る東日本随一の「蔵の街」である（写真 20）。

　そんな喜多方市も、全国の地方都市と同じく急激な少子高齢化と人口減少に歯止めが効かない状況である。急激な少子高齢化や人口減少による弊害は多く、こと都市景観においては、人が維持管理しなくなった建物や土地がしだいに増え、市内のあちらこちらに点在する老朽化が進んだ空き家や、荒廃化が進んだ空き地、耕作放棄された土地が景観上の問題となってきた。

写真 20　小田付蔵通り

写真21
崩れゆく空き蔵

　かつて地域の男衆が誇りとして建て競った蔵も例外ではなく、老朽化が進んだ空き蔵が増え、構造的には寿命300年と言われている蔵も、その寿命を全うできないものが出はじめ、そうした空き物件にはどこからともなくゴミが次々と集まり、雑草や雑木で覆われ、その周りで暮らすことへの誇りが失われつつある（写真21）。暮らすことへの誇りを失った若者は次々と地域を離れ、ますます少子高齢化と人口減少が進むという悪循環の構図が浮き上がってきたのである。

　そんな折、2011年3月11日の東日本大震災。幸い喜多方市では全壊や半壊といった大きな被害は見られなかったが、老朽化が進んでいた空き家等では小規模な被害が見受けられた。しかしながら、むしろ喜多方市にとっての深刻な影響は、建物に対する被害ではなく、その後の原発事故による風評被害にあり、当時、年間180万人と言われた観光客が、3月11日を境にまったく訪れないという状況になったことである。喜多方市内では、営業の縮小や廃業した店舗もあり、これを放っておけば地域の未来は暗いものになるのではないかという不安と、この非常事態を生きる市民が下す判断の一つひとつが地域の未来にそのまま影響するという強い危機感が地域に漂っていた。

喜多方市小田付地区は、喜多方のなかでも蔵の集積率が高い地区である。とくに南町は通り沿いに蔵が建ち並ぶことから、テレビや雑誌などで取り上げられる機会も多い地区だ。そんな南町の真ん中にある南町2850番地は、所有者が遠方に暮らしており、長い間維持管理されず、老朽化と荒廃化が進んだ蔵屋敷で、心ない人に捨てられたゴミが蓄積し、地域の問題となっていた。しかし、東日本大震災で壁の一部が倒壊したことを機に、所有者にある市民の方が連絡を取り、現状を説明したうえでせめて敷地に入り、ゴミだけでも片付けさせてもらう許可を取ったことから物語は始まった。

　そこから1週間ほど、毎日この南町2850番地に向き合っていると、「家にいても暗いニュースばっかりだ」と近所の人たちが手伝ってくれるようになってきたと聞く。2週間後には、当時の福島県立喜多方桐桜高校の先生がその作業の輪に加わるようになった。「ぜひこの場所（南町2850）を、将来地域の担い手となる高校生たちに見てもらい、考えてもらいたい。」先生は作業をしながら、そんな話をされた。これが福島県立喜多方桐桜高校エリアマネジメント科の生徒たちとの協働プロジェクトの始まりである。

　エリアマネジメント科は、人口減少、少子高齢化の進展によって地方都市が抱える地域づくり、まちづくりの重要性から、将来地域に貢献できる人材を育成することを目的として2011年に設けられた全国初の科である。「まち育て」の観点から、会津・喜多方の歴史・伝統・文化を学ぶとともに、地域のまちづくりを考え、企画・発表、実行をとおしてまちづくりの楽しさを学ぶことを目指した教育に取り組むという方針を打ち出していたが、前例がないうえに、当然のことながら先生方も直接まちづくりに関わった経験がなく、生徒たちが地域にどう関わっていけるのか？また、果たして生徒たちが関わることでまちづくりの一助となりうるのか？を模索されていた。このような経緯で南町2850番地を舞台とした空き地、空き蔵の再生に向けたプロジェクトは喜多方桐桜高校エリアマネジメント科のカリキュラムの一つに位置づけられたのである。

◆空き地デザインワークショップ

　エリアマネジメント科は、2013年時にようやく1学年から3学年まで
の生徒が揃ったところであったが、これまでの授業のなかでは「街歩きを
とおして地域を知る」、地元の蔵元の協力を得て、「味噌づくり実習による
喜多方の食文化を知る」など、まずは地域との関わり合いを持つことから
はじめ、商品開発や観光ビジネスについて考えるといったことを行ってき
ており、2013年からは南町の空き地、空き蔵の再生を課題とする一連の
カリキュラムの時間数2コマ×3回の授業と実践を僕が担当することにな
った。

　限られた時間ではあるが、プログラムを考えるうえで、まず考えたこと
は、生徒たちに街に関わることを「楽しい」と感じてもらえること、また
小さなことであっても「確かな手応えと変化」を感じられる実践プログラ
ムにしようということである。さらに、地域の課題と将来像の共有、南町
2850番地をどんな場所にしたいのか？を自分たちで考え、実現していく
一連のプロセスを完成まで経験させたいと考えた。最終的に実施した授業
のプログラムは以下のとおりである。

第1回｜喜多方と「おたづき蔵通り」の現状と課題を整理し、南町2850番地が
　　　　どんな場所になったらよいか、どんな場所にしたいかを考える。
　　　　※ターゲット、活動の様子をイメージする。
第2回｜南町2850のデザインを考える。
　　　　（あらかじめ用意した敷地模型を使い、空き地のデザインを考える）
第3回｜デザインを決定し、完成像を共有する。
第4回｜デザインに基づき施工する（実践・施工）。

　生徒たちが小田付地区を歩き、実態を見て、感じて、良いところと悪い
ところを考え、南町2850番地が地域にとってどういう場所になれば良い
のかを話し合った結果、出した結論は、「小さな子どもたちが裸足で走り
回れる芝生の広場」にしよう、というものであった。では、どんな広場で

写真22　デザインワークショップの様子　　写真23　検討模型を前にしての集合写真

あれば子どもたちがのびのびと走り回れるのか？お母さんたちはどのように子どもの様子を見守るのか？と問いかけながら、あらかじめ用意した敷地模型と材料を使ってのデザインワークを行った（写真22）。

　エリアマネジメント科の生徒たちにとっては、デザインを考えることも模型をつくることも初めての経験であったが、みんな、想像力を働かせながら夢中になって作業を進めていく。完成後はグループごとにデザインの趣旨、使われ方のイメージなどをプレゼンテーションし、最終的には彼らのデザインを取り入れながら作成した二つのデザイン候補案に絞り、投票で整備方針を決定するにいたった（写真23）。

　整備ワークショップでは、小田付郷町衆会をはじめ、地域の方々と連携、協力し、約270m²の空き地は小高いマウントがある緑の広場に生まれ変わった（写真24）。

　以降、このプログラムは2年生のカリキュラムに組み入れられ、同様のプログラムによって生徒たちとともに整備の方針を決定し、2014年には蔵通りから広場に続く動線をレンガ敷きの小路に、2015年は蔵通り沿いに隣接する小さな空き地を、地元の大工さんに指導を仰ぎながらウッドデッキが敷かれた「蔵庭」へと整備していった（写真25、26）。

写真 24 完成した緑の広場

写真 25 煉瓦の小径づくり（2014 年 9 月）

写真 26 蔵庭づくり（2015 年 11 月）

写真27
ワークショップ後の集合
写真

◆まちづくりにおける教育の意義

　僕たちが担当するワークショップは、しばしば「体育会系」と言われることがある。芝を張ったりレンガを敷いたり、植樹をしたり、時には屋台をつくったりと、地域の方々と身体を動かして整備し、ものをつくることを積極的に実践しているからである。テーブルを囲んで意見を交わし、アイデアを出し合うことは、まちづくりや地域づくりにとって大切なプロセスの一つではあるが、それだけでは地域が抱えている問題を解決するヒントにはなっても、街そのものの変化には直接結びつかない。たとえ小さな変化であっても、自らが関わったことで「街が変わる」という成功体験をいかに多くの人に体感してもらうかが大切なのである（写真27）。

　同時に、そうした活動にできるだけ多くの子どもたちが参加できるような環境づくりを心がけている。なぜなら、まちづくりは世代から世代へとバトンタッチをしていかねばならないからである。子どもたちにその街で過ごした記憶がなければ、街への愛着は生まれないし、将来、街をよくしたいという気持ちも生まれない。だからこそ、将来を担う喜多方桐桜高校のエリアマネジメント科の生徒たちと地域が連携して取り組むこのプロジェクトには大きな意義がある。

　プログラムがスタートして4年が過ぎた頃、1年目に芝生の広場を整備

した生徒たちは進学、就職とそれぞれの道へと進み、すでに成人となっていたが、時折連絡を取り合ってはこの南町2850に戻り、芝の手入れを手伝ったり、蔵の掃除をしたり、同窓会を開いたりと、地域の方々との交流も続いていたと聞く。また、改めて喜多方を訪れた際には、2年目にレンガの小路を整備した生徒が隣接するカフェでアルバイトをしていた。こうして街の「跡継ぎ」として成長したかつての生徒たちに再会できることが、僕にとっても楽しみの一つである。

5 まちづくりに求められる持続性と波及力

　とにかく、まちづくりは時間がかかる。岩見沢市、佐賀市、喜多方市の事例から、まちづくりの持続性の担保には、それを支える「人材の育成」、街に関わりたいという「動機づくり」、故郷を愛する気持ちを育む「教育」の視点が必要であることが分かった。そしてなにより、僕は、まちづくりはとにかく楽しくなければならないと思っている。楽しくなければ続かないのだ。楽しい「コト」を自ら発想し、それをできるだけ多くの「ヒト」と協力して実践し体験してもらい、そのために必要な「モノ」は、できるだけ自分の手でつくりあげていく。そうやって生まれる"僕たちの場所"で、将来的には「収益（カネ）」をあげ、働く場所として雇用を生んでいく。コト・ヒト・モノ・カネの四つの要素が連鎖的に循環し、街にその効果が次々と波及していくようなプログラムを編集することが、この時代の要請であり、これからのまちづくりの持続可能性を高めるものであると考えている（図2）。

　明治維新以降、高度成長期を通じて、日本の人口は急激な増加を遂げた。生活をするための家、モータリゼーションによる自動車交通の急増に対応する道路インフラなど、とにかく早く大量に「モノ」が必要な時代だった。2008年に人口ピークの山を越えた日本は、今後急激な人口減少と超高齢

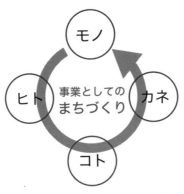

図2　4つの要素が循環するまちづくり

化の時代を迎える。20世紀の「量と速度」重視の社会から、「質と密度」の時代へと社会状況が移りゆくなか、私たちはこれまでの既成概念を捨て、公民連携による21世紀の新しい都市計画手法の発明に向けてチャレンジを続けていかなければならない。かつて経験したことのない状況だからこそ、大きなリスクを負わず、小さくても確実な成果の積み上げを長く続けていくことが、未来を切り開いていくように感じている。

2章 都市部のつながりを
形成する場づくり

坂倉杏介

　都市部には、多様な住民が集積しているゆえのつながりに
くさがある。本章では、都市部のコミュニティ形成の例とし
て、港区芝地区総合支所と慶應義塾大学の連携による地域の
居場所「芝の家」を事例に、その政策的背景、具体的な運営
のポイント、そして他の事業との連携による複合的なコミュ
ニティプラットフォームの視点から、有効な場づくりの方法
について考察する。

芝の家 ——地域をつなぐ！交流の場づくりプロジェクト

◆芝の家の風景

　港区芝三丁目。東京タワーのほど近く、慶應義塾大学三田キャンパスが面した通称三田通り（桜田通り）から一歩入ったところに、その「家」はある。港区芝地区総合支所と慶應義塾大学が進めるコミュニティ形成事業の拠点「芝の家」だ。周囲を高層ビルに囲まれたその一角は旧来の木造家屋が立ち並び、細い路地が縦横に走る下町的な雰囲気を残している。かつてはこのあたりも商店街の賑わいがあったそうだが、いまは近隣の会社員と住民以外の人通りは多くない。

　芝の家の外観は、周囲の木造店舗と馴染むように古い建具や古材によってリフォームされ、通りに向かって玄関と縁側が開かれている。軒先に置かれた手書きの看板やポスター、植木鉢などが手づくりのあたたかみを醸し出し、行き交う人を歓迎しているかのようだ。室内には、ちゃぶ台やソファが置かれ、どこか懐かしい家のような雰囲気である。また、駄菓子や喫茶コーナー、遊び道具やピアノなどもあり、お茶を飲んだり、けん玉や

写真1　2019年1月、移転した芝の家

ベーゴマで遊んだり、ソファでくつろいだり、ちゃぶ台でおしゃべりしたりと、自由に過ごすことができる[注1]。

現在芝の家は、火曜日から土曜日まで週5日間オープンし、赤ちゃんから80歳代のお年寄りまで、多くの人で賑わっている。来場者は、平均すると毎日約35人。訪れた人は、おしゃべりをしたりお茶を飲んだり、趣味の手芸や宿題をしたりと、好き好きに過ごしている。散歩や買い物のついでによる近隣の人たち、仲間と遊びにくる小学生たち、赤ちゃん連れのお母さん、おしゃべりにくるお年寄り、お弁当を食べにくる会社員、見学にくる大学生など来場者は多様で、近隣の人もいれば、地域外から通う人もいる。しかも、そのいろいろな人たちが、年齢や立場の違いを超えて、ここではともに同じ場を共有し、分け隔てなく関わりあっている。芝の家で出会った人同士が意気投合し、菜園づくりや子育て支援などの地域活動を始めることも多い。開設以来10年が経ち、いまではすっかり地域の居場所として溶け込んでいる。

芝の家は、港区芝地区総合支所の地域事業として慶應義塾大学と連携して始まった「昭和の地域力再発見事業」の拠点として2008年10月に開設された。事業の目的は、都市部で薄くなりがちな近隣同士のつながりをつくり、子どもから高齢者まで安心して暮らしていける環境づくりの支援。そのために、近隣の人が気軽に立ち寄り、交流できる拠点をまず設置し、そこから住民同士の関係性や活動を育んでいくという計画であった。

本章では、都心部の地域コミュニティを形成する場づくりについて、コミュニティ拠点の先駆的事例の一つである芝の家を事例に、設立の背景、運営のポイント、関連事業との連携の方法を軸に解説していく。まずは、どのような経緯で設立されたか、背景となる港区の事業の全体像から紹介しよう。

◆港区の概況と区役所・支所改革

港区は、千代田区、中央区と並んで「都心3区」と呼ばれ、東京の業

写真2　子どもからお年寄りまで自由に過ごせる空間

務機能の中心に位置する行政区である。面積は20.37km^2、人口は約24万人で[注2]、近年は人口の都心回帰や湾岸地域の大型マンションの建設ラッシュなどにより、人口は増加傾向にある。区内在住者のうち約8％にあたる1万8000人あまりが外国人である点も、大使館や外資系企業の多く立地する港区の特徴である。事業所数は3万9000社以上、従業者数も100万人を超え、いずれも23区内で最も多い。このため、昼夜間人口比は430％以上にのぼる。多くの事業者が本社を置き、高額納税者も多いことから、一般会計予算1203億円（2016（平成28）年度当初）、経常収支比率64％と財政的にも恵まれた自治体であると言える。しかし一方で、地域コミュニティ形成の視点からは問題がないとは言えない。前述のとおり、外国人率の高さや従業者数の多さに加えて、自治会の加入率は半数を切っていると言われ[注3]、新たに流入してくる住民が既存の町内会などに加入する機会は多くないことから、都心部特有のコミュニティの空洞化がみられる。近隣の支えあいや行政との協働による地域づくりの基盤となる社会関係資本の醸成や、地域自治の主体形成は容易ではない。

　こうした状況を見越して港区では、2006（平成18）年度、武井雅昭区長の主導で、「都心における望ましい地域自治の実現」を目的とする「区役所・支所改革」が行われた[注4]。地区総合支所制の導入である。従来の本庁と出先機関としての支所という関係ではなく、地区総合支所に大きく権限を委譲するという大々的な構造改革で、このなかで地区総合支所は、さまざまな行政サービスの提供拠点というだけではなく、地域課題を地域ごとに解決する基本単位と位置づけられ、区民の参画の場や区民と区政の協働による地域づくりの仕組みが整えられることになった。このため、従来から置かれていた麻布、赤坂、高輪、芝浦港南地区総合支所のほかに、芝地区総合支所が新設され、5支所体制となった。地区総合支所では、職員が地域活動の現場へ積極的に関わっていくほか、地域ごとの特徴を活かした独自の地域事業の実施や、さらに区民参画会議の設置と後述の地区版計画の策定を担当することになったのである。

いわゆる「平成の大合併」では、市町村の合併によって生じた地域と行政の乖離を埋めるべく、コミュニティ協議会など地域自治の仕組みの導入が急がれている。港区の地区総合支所制の場合は（もともと 1947 年に芝区、赤坂区、麻布区が「合併」してできたのが港区であるが）、逆に五つの地区にそれぞれに地域内の自治活動を支援する機関を設けることで、行政が積極的に地域へ入り込んでいくかたちになっている。また、地区総合支所ごとに独自予算が与えられ、さらに基本計画の下位計画として地区版計画を策定する点なども特徴的だ。総合支所制を導入しているのは特別区のなかでは世田谷区のみ（1991 年に導入）であることからも、都市内分権に向けた独自性の高い取り組みであると言ってよい。

　積極的に地域に入り込み、地域課題の解決を住民との協働で進めていく体制に舵を切った港区であるが、この構造改革が引き金となり、結果的に各支所で独自性の高い地域事業が多く生まれ、大学との連携で運営される地域の居場所という全国で見ても極めて類例の少ない事業が実現した。そしてそれゆえ、芝の家はただ単に周辺の住民の憩いの場となるだけではなく、より積極的な住民の地域参加の場としての成長を期待されることになったのである。

◆慶應義塾大学との連携によるコミュニティ事業

　こうした政策的な転換を背景に、港区芝地区総合支所と慶應義塾大学との連携事業が始まった。2008 年に地域コミュニティの拠点「芝の家」が設置され（当初は「昭和の地域力再発見事業」という名称で呼ばれていた）、同時に慶應義塾と港区の間で連携協力に関する基本協定が結ばれた。その後、2012 年には「ご近所イノベータ養成講座」が開講し（事業名称は「地域サポートスタッフ養成」）、2014 年には新橋六丁目にオープンした港区の公共複合施設・きらきらプラザ新橋に「ご近所ラボ新橋」がオープンした。各事業は名称を変えながらも、芝地区総合支所と慶應義塾大学との連

図1　芝地区総合支所と慶應義塾大学の連携事業の経緯

携は継続的に発展し、図1のように拡充されてきた。

　港区では、地区総合支所ごとに区民参画会議を設置し、地区版計画の策定に向けた住民会議が行われている。地区版計画は6カ年計画で、3年ごとに見直しが行われる。図中に記載されている事業名称の変更は、地区版計画が見直し・策定されるにあたって、より実態に即した名称や分かりやすい名称に改善されてきたことによる。現在、芝地区総合支所と慶應義塾大学の事業は、場づくりを目的とした「地域をつなぐ！交流の場づくりプロジェクト」と人材育成を目的とした「ご近所イノベーション学校」の二つの事業が両輪となり、地域のつながりと活動を生みだすプラットフォームとしての機能を果たしている（図2）。なお、慶應義塾大学と芝地区総合支所の連携事業全体を総称して「ご近所イノベーション学校」と呼んでいる。

　芝の家を取り巻く関連事業については、再度第3節で触れるが、ここでは再び2008年の芝の家開設時に時間を巻き戻し、芝の家が地域の居場所としてさまざまな人に利用されるようになるために、どのような場づくりの試行錯誤を重ねてきたかを紹介したい。

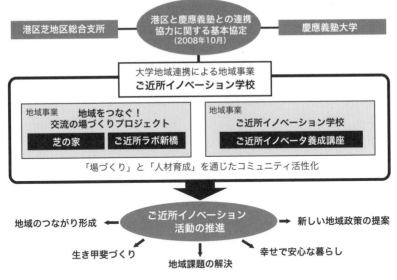

図2　ご近所イノベーション学校の全体構造

2 「誰もがいたいようにいられる」居場所づくり

◆芝の家の立ち上げ

　地域の居場所の重要性は、いまでこそ多くの人に理解されるようになったが、2008年当初においては類似事例のほとんどない実験的な事業であった。近隣住民の理解を得ることも難しく、場づくりのノウハウもまったくなかった。それゆえ、行政と大学の担当者、関わる学生や近隣の住民たちが毎週のように議論を重ね、さまざまな試行錯誤を繰り返さざるを得なかった。その過程があったからこそ、地域の人と人を結びつけていくための独特な場づくりの方法を生みだすことができ、また地域に根ざした運用が実現できたとも言える。

　居場所づくりは、居場所育てでもある。空間やサービスをつくって提供

するだけではなく、そこに関わる人々の関係性をじっくりあたためていくプロセスに他ならない。行政の事業である芝の家で、そうしたゆるやかな場づくりが可能になった理由には、開設から3年間は大学への委託研究という形をとったことことも大きかった。

　初めから完成された事業や大きな成果を求めるのではなく、大学との協働によってコミュニティ形成のための有効な手法を研究・開発するという名目があったことで、あらかじめターゲットや提供サービスを固定化せずに、来場する人の行動やニーズを観察しながら最適な運営方法を模索するというアクションリサーチが可能になった。この実験期間を通じて、芝の家はしだいに、子どもから高齢者まで多様な人たちがともにいられる場として成長するとともに、公民館や町内会の集会所、またはイベントスペースや喫茶店などとは異なる独自のスタイルを育んできたと言ってよい。そして、芝の家を通じた出会いから信頼関係や新しいアイデアが生まれ、それぞれが主体的に活動を始めるようになった。

　まず始めてみて、そこで起こることを観察し、やり方を修正し、その様子を見ながら、徐々にその居場所特有のスタイルを探っていく。こうした居場所育ての過程を大事にすることは、どのような場づくりにも共通する秘訣と言っていいだろう。

　本節では、さまざまな試行錯誤を通じて生みだされてきた芝の家らしい場づくりの工夫のいくつかを紹介したい。仕組みや仕掛けをそのまま転用すれば巧くいくとは限らないが、さまざまな居場所運営の参考になれば幸いである。

◆居場所づくりの仕組み・仕掛け

　芝の家の運営の基本理念は、「誰もがいたいようにいられる場」である（これもまた、日々の運営のなかからスタッフ間で共有されてきた理念だ）。「いたいようにいられる」というのは、その人らしくいられるという意味なの

だが、これは意外と難しい。どんな空間にも、その空間が利用者に暗黙裡に求める振る舞いがあり、人は知らず知らずにその場にふさわしい行動をするよう制約されてしまっているからだ。

　たとえば、市役所のロビーや病院の待合室には多様な人が集まっているが、初対面の人同士がおしゃべりをしたり、自分の好きな活動を始めたりすることはあまりない。また、地域活動の拠点や大学の研究室であれば、まちづくりに役立つような行動や研究にふさわしいこと以外を行うのは憚られる。その空間の目的が明確に決められていると、「こうしなければならない」という規範が優先されて、本当にしたい行動を自由にすることはできない。もちろん、それは悪いことではない。社会生活が円滑に営まれるために不可欠なことである。しかし、誰もがその空間に合わせた役割を演じているだけでは、新しい出会いや出来事は起こりにくい。

　芝の家では、自分はいまここでどう過ごしたいのか、自分の気持ちに素直に行動できるような場づくりを心がけている。その場にいる人が、それぞれ自分のありようを認め、そして同じように他者のありようも受け入れることで、知らない人でも、年齢や立場の違う人でも、安心して関わり合えるようになる。そこから、未知の出会いが起こり、いろいろ意想外のことが起きていく。言わば偶然の出会いの連鎖が、芝の家という場を日々つくっているのである。

　しかし、そうした未知にひらかれた安心安全な場をつくるためには、工夫が必要である。日々起こることを起こるがままにするのではなく、さまざまな変化をしっかり見守り、適切に対応する体制も必要だ。人と人との相互作用、日常的な人の振る舞いそのものをコントロールすることはできないが、かといって偶然に任せるだけではなく、ある種の意図を持った介入が不可欠である。この「本来はマネジメントできないもの」をどうにか育てていく感覚が、居場所づくりのポイントだ。

　ここでは、創造的な出会いが起こっていく場を生みだすための仕組みや仕掛けについて、「しつらえ」「くわだて」「きりもり」の三つの視点から

紹介したい。しつらえのデザインとは、来場者が訪れやすく他の人と交流しやすい空間づくり。くわだてのデザインとは、新しい人の参加や活動促進のためのプログラムを仕掛けていくこと。そしてそれを見守り継続するための組織づくりが、きりもりのデザインである。

◆しつらえのデザイン

◇ちょっと懐かしくて、くつろげる空間

　芝の家は、軽量鉄骨造3階建ての建物の1階部分にある。元はオフィススペースとして使われていた空間を、芝の家の開設にあたって改装した。空間デザインは、そこにいる人と人とのコミュニケーションに大きな影響を与えるから、居場所のとても重要な要素だ。しかし、すでに設計のノウハウが多く蓄積された飲食店などとは異なり、地域の居場所のインテリアデザインの手法はまだ十分に確立されていない。

　それゆえ、どこでも必ず巧くいく方法はないのだが、人と人とが気兼ねなく交流できるために、訪れやすくオープンであることと、安心してくつろげる雰囲気を両立させることがポイントになる。

　くつろげる場所にするためには、快適さや美しさといった感性的な要素が重要だ。なかでも、「ちょっとした懐かしさ」を出すことは、とくに多世代の居場所づくりには有効だ。芝の家の場合は、昔の建築の再現というより、風合いのある古材や建具を使うことで、芝の家に独特の雰囲気をつくった。ガラスや鉄、プラスチックなどの新建材は、どうしても冷たさやよそよそしさを感じさせてしまう。多くの人は、ピカピカの新築の建物よりも、古い家や使い込まれた家具のある空間のほうがリラックスできるものである。知らない人同士が交流する芝の家のような空間は、できるだけ来場者が緊張せずに居られる場所のほうが良い。空間の第一印象が「なんだか懐かしいね」と感じられる場所は、それだけで家に戻ってきたような親密で安心な気持ちをつくってくれる。そこからコミュニケーションが始

まっているのである。

　また日本人は、靴を脱ぐことで気持ちが変わる。自然に家に帰ってきたような気分になり、無意識にくつろぎモードになる。椅子座と違い、座布団でちゃぶ台を囲んで座ることで親密さも増す。多少人数が多くても、座布団なら詰めて座ることもできるし、赤ちゃんにとっても安心な空間になる。床座のメリットは多い。

◇外と内をつなぐ縁側

　誰もが入りやすいオープンな空間にするために、縁側の効果は絶大だ。芝の家では、縁側越しに下校中の小学生とスタッフが声を掛け合ったり、近隣のお年寄りが腰掛けお茶を飲みながら雑談をしたりと、縁側が気軽なコミュニケーションの場になっている。

　通常は壁や戸によって室内と室外は明確に区切られるが、縁側があることで、通りがかりの人と室内の人が、自然に交流ができるようになる。な

写真3　外と内をつなぐ縁側

ぜそうなるのだろうか。縁側は、屋外に延長された床だと言われる。つまり、縁側は外部へはみ出した内部空間ということだ。そこは、内部であると同時に外部でもあるという境界領域なのである。それゆえ、内の人と外の人が自然に混じり合う状況が生まれるのである。

　また、縁側や玄関に引き戸を用いることで、オープンな雰囲気をつくりやすくなる。開き戸を開けっ放しにしておくと落ち着かないが、引き戸は開けた状態のままで問題ない。半分だけ開けておくこともでき、オープン具合を調整しやすい。

◇玄関の「間」があると「間」が持つ

　境界領域の大切さは、玄関にも当てはまる。芝の家の玄関は、一般の家のそれよりもゆったりとしたつくりになっていて、内部と外部の間をつなぐ空間としてデザインされている。昔の日本建築の入り口は「玄関の間」といい、言わば一つの部屋だったが、芝の家でも玄関はただの出入り口ではない。

　玄関の「間」がある一番のメリットは、戸を開けて室内に入ってからも、「間が持つ」ことである。入り口がすぐ室内につながっている場合、一度足を踏み入れてしまうと後戻りができない。すると、扉を開けるハードルも高くなってしまう。逆に、玄関で用事だけをすませられたり、中の様子を見てから部屋に入るかどうかを判断するゆとりが持てたりすることが、結果的に戸を開ける心理的な抵抗を少なくする。

　芝の家はとても小さい空間だが、通りに面したインターフェイスとしての縁側、入りやすい玄関、居心地良いリビング的な場、その奥にスタッフの場所というように、奥行きが段階的にデザインされている。空間の奥行きを行き来しやすいようにするよう工夫することで、入りやすさと居心地の良さを両立することができる。

◇まちまちの座る場所

　来場者の居心地を高めるのは、誰にとっても快適に感じられる空間であるということも大きいが、その人がどのように過ごしたいかという個別の欲求に空間がフィットしているかどうかも重要だ。ゆっくりくつろぎたい時には掛け心地の良いソファがぴったりだし、集中して議論したい時はしっかりした机と椅子が欲しい。自分の過ごしたいように過ごせる場所があることが、人の居心地を高める。

　芝の家では、いろいろな人の居方に合わせられるよう多様な「座る場所」を用意している。大人数でわいわいと話せる大きなちゃぶ台と座布団。数人でお弁当を食べたり仕事ができるテーブル。ゆったりとしたソファ。場の全体を眺められる隅のベンチ。スタッフの事務机の近くに置かれた椅子など。こうしたまちまちの座る場所があると、スタッフが誘導しなくても、来場者は自分で自分の気分に合ったところを見つけ、そこに落ち着くことができる。気分が変わったら移っても良い。一見統一感がなくごちゃごちゃしているように見えるかもしれないが、同じ椅子とテーブルが並ぶ均一

写真4　まちまちの座る場所

な空間ではないほうが、一人ひとりにとって居心地の良い空間に感じられるのである。

　図書館やレストランでは、利用者の行動はある程度パターン化することができ、その行動に合わせた空間を決めたり、ニーズを聞いて案内したりすることができるが、地域の居場所を訪れる人の過ごし方はそれよりも幅が広い。それゆえ、できるだけ多様な居方のできる空間をしつらえて、来場者が自分の気分に応じて選べるようにしておくことが有効なのである。

◇いてもいい時間をつくる喫茶コーナー

　芝の家には、100円で飲み放題の喫茶コーナーが設置されている。来場者への飲み物提供というサービスの充実という側面もあるが、その本質的な目的は、別のところにある。もちろん、収益が目的でもない。

　地域の居場所にとって喫茶が不可欠なのは、「お茶を飲んでいる間は、その場にいる大義名分ができる」からである。どんなふうにいてもいいという居場所では、たとえば一人でぶらりと訪れた時、何もすることがなく、周りにおしゃべりの相手もいなかったりすると、かなり手持ち無沙汰である。何をしていなくても良いのだが、ただいるだけというのは意外と所在ないものだ。そんな時、目の前に飲みかけのコーヒーカップがあれば、「私はこのコーヒーを飲んでいる」という存在意義を示すことができる。これは思いのほか、心強い。

　初めて訪れた人にお茶を出すことは歓迎を表すことでもある。そして、お茶を飲んでいる間の会話を通じて、少しずつ場に馴染んでいくことができる。喫茶というコミュニケーションツールは、人類が生みだした偉大な発明だと言ってよいだろう。

◇未完成の場所

　しつらえのデザインをするうえで気をつけたいのは、最初から空間を100％完成しようとしない、ということだ。開設時はどうしても、完璧に

準備しておかねばならないと思いがちだが、50％程度の完成度にしておいて、後はその場を訪れる人の様子を見て少しずつつくりあげていく、というくらいがちょうどよい。芝の家の場合は、最初に用意していた家具は、板の間の空間に座布団とちゃぶ台、いくつかのベンチという程度。その後、作業用のテーブルや椅子を揃えたり、近隣の方からソファやピアノをいただいたりしながら、徐々に使いやすい空間を整えていった。

　大事な視点は、空間と来場者の両方を見ながら、どう影響しあっているのかを観察することである。来場者同士のコミュニケーションや行動のどの部分が、どのように空間の影響を受けているのか、空間を調整することで、どのように起こることが変わりそうか。こうした視点で少しずつ空間をつくり変えていくことで、過ごしやすく交流のしやすい空間にしていく。しっかり観察すること、意図を持って変化させていくことが重要だ。

◆きりもりのデザイン

◇居場所をつくるのは「人」

　物理的なしつらえの次に必要になるのが、その場を運営していく「きりもり」だ。一般的にはスタッフのマネジメントということだが、業務を分業して組織化する、すなわち機能に合わせて人を配置するというよりは、スタッフ一人ひとりが持ち味を発揮して、良いコミュニティをつくっていくイメージである。どのような人が集まり、どのようなコミュニティができていくかは、キーパーソンの哲学や人柄にも大きく左右される。

　芝の家では、当初は筆者がリーダーとなって学生や近隣の方々の力を借りて運営していた。対人ケアの専門家でもなく、接客のプロでもない、言わば素人の集団であった。素人の集まりが、毎日いろいろな人が出入りし、ちょっとしたトラブルを含めたさまざまな出来事に向きあっていかなければならないわけだから、心理的な負担が無意識に蓄積されていった。

　表面的には良い場ができているように見えながら、日々続く運営のしん

どさを感じつつあった時、大きく運営の仕方を変えることにした。港区の事業だから、成果（良い地域コミュニティをつくる）を出さないといけないのだが、私たち自身がそれを実現するための手段として存在しているのではなく、まず自分たちと今ここに集まっている地域の人たちが十全に自分らしさを発揮して、いきいきとしたコミュニティになっていく必要があるのではないか。そこから良い関係性が地域に広がっていくのが自然なのではないか。そのために、まずは今ここにいる人の気持ちや思いを一番に大事にしよう。そう考えて、事務的な連絡や開室の準備作業のほかに、スタッフ一人ひとりがどんなことを感じ、考えているか、1日過ごしてみてどんな気持ちだったかといった、その人の感情を大事にするような運営体制を整えるようになった。

　外から人を迎え入れる前に、まず自分たちが自分らしくオープンな気持ちでその場にいることで、徐々に良い関係性を広げていこうと発想を大きく転換したのである。結果として、この発想転換が芝の家があたたかい雰囲気の場として継続する土台となった。

◇あたたかい場をつくるチェックイン

　そのために、まず行ったのが、開室前のチェックインであった。芝の家のオープンを担当する「お当番」は、毎日2〜3人。開室時間の少し前に集まり、準備を整えた後、必ずチェックインの時間を取っている。いわゆるスタッフミーティングのようなものだが、特徴的なのは、それぞれの今の「気分」と「体調」を話し合うことである。連絡事項の確認ではなく、今どのような感じでこの場にいるのかの確認を最優先している。

　一般的な職場では、仕事に役立つ能力だけが持ち込みを許されていて、その他の感情や体調はあたかもないもののように扱われている。しかし、そもそも人間は身体や精神の調子も含めて全体としてあり、芝の家という小さい場では、そうした部分の調子にも場は影響を受ける。出がけに家族とちょっとした喧嘩になった、明日までに提出しなければならないレポー

トが気がかりだ。昨日夜更かしして睡眠不足だ、実は風邪気味で体がだるい。こうしたそれぞれの弱みを「情報公開」し、スタッフが相互に受け入れること。すると、スタッフ間にあたたかい関係性が生まれ、安心してくつろげる雰囲気が生まれる。

　こうして、芝の家のあたたかい雰囲気は、最初にその場にいるお当番スタッフの間で生まれる。芝の家の戸を開けた来場者は、お当番スタッフの生みだすあたたかさを無意識に感じ、身も心もくつろげるようになる（もしそこが、挨拶も私語もなく、「今日はちょっと体調が悪くて」と言い出そうものなら怒られそうなピリピリした職場のような雰囲気であったなら、警戒心が生まれ、自分の本当のありようを表明することはできないだろう）。その来場者の居方に影響を受けて、後から来た人も安心して過ごすことができる。こうした連鎖が、芝の家の雰囲気を毎日毎日生みだしているのである。

　余談だが、「体調と気分」や「弱さの情報公開」は、北海道浦河市にある精神障害等を抱えた人々が暮らし、働く地域の拠点「べてるの家」に学んだ言葉だ。べてるの家に取材に行く前から芝の家でも同様の実践をしていたが、弱みを話すことの強み、今ここの自分に意識を向けることの大切さをはじめ、「順調に問題だらけ」「三度の飯よりミーティング」など、人と人とがともに暮らす現場のあり方に共感することが多かった。

◇何が起こるか分からない5時間

　朝のチェックインは、お当番同士の体調と気分の共有でもあり、またそれぞれがその日その場にしっかり根を下ろすプロセスでもある。今日をどのような心持ちで過ごすかを整えていく時間ということだ。

　なぜそのような時間が必要なのか。芝の家は、朝11時から夕方16時まで（12時から17時の日もある）、1日5時間オープンしている。この間、いつ誰が訪れ、どのようなことが起こるのか、まったく予想できない。喫茶店と違いそれぞれの客に個別に対応するような場ではないので、まるで

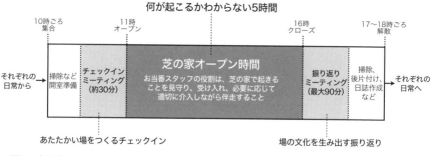

図3　何が起こるかわからない5時間

「いつ誰が来るかも、どのような順に集まるかも分からないワークショップ」を開催するようなもの。そういう何が起こるか予測できない時間に向き合うためには、少しだけいつもとは違う気持ちのスイッチを入れておくことが必要になる。

　私たちの多くは、無意識に今日は何をしようかと計画しがちである。来場者が少なかったら、あの書類づくりをすませてしまおう。小学生が来たら一緒にあのゲームをしよう。などなど。しかし芝の家では、こうした目論見はたいていの場合見事に裏切られる。思いもしない来場者が来たり、予想外のトラブルが起きたり、はたまた会うのを楽しみにしていた人が最後まで現れなかったり。すると、予定どおりにことが運ばないことに、がっかりしたり、ストレスを感じたりしてしまう。たまった事務作業を片付けるつもりだったのに、さっきから同じことばかり繰り返すおじいさんの話をなぜ長々と聞いていなければいけないのか、とか。こうなってしまうと、心理的に疲れてしまうばかりではなく、目の前の人を大事にできず、本来実現したかもしれないいろいろな可能性に蓋をしてしまうことになる。

　芝の家のような多様な人の出入りする居場所では、その日その場で起こるささやかな出会いや出来事を丁寧に見守り、良いことも悪いことも同じように「起こったこと」として受け入れていく気持ちが、集まった人たちのエネルギーを活性化し、主体的に動き出したくなる気持ちを引き出していく。予定どおりの出来事ではなく、予想できない偶然にこそ新しい可能

性の芽があるのである。そう考えると、「この5時間は何が起ころうが起こるまいが、目の前に起きることに寄り添っていこう」というお当番の気持ちが、芝の家の未来をつくっていることになる。しかし日々の繰り返しのなか、そうした新鮮な気持ちを持ち続けるのは難しい。だからこそ、毎朝チェックインで丁寧に確認することが大事なのである。

◇全体を見守り、個々の存在を受け入れる

　オープン時間が始まると、芝の家には次々といろいろな人がやってくる。学校帰りの小学生、お昼の差し入れを持ってきてくださる近隣の方、毎日顔を出すおばあさん、週末のイベントの打ち合わせに立ち寄る町内会の理事さん、乳幼児を連れたお母さんたち、居場所づくりに関心のある大学生、お昼ご飯を食べにきた会社員。通りがかりの外国人旅行者が縁側で声をかけられて上がりこむこともある。

　喫茶店なら、どのような年齢や立場の人が来ても、席に案内して注文を取れば良い。しかし芝の家では、それぞれの人の用事も異なり、挨拶や用件のみで立ち去る人もいれば、一日中芝の家で過ごしていく人もいる。初めての人も常連もいれば、久しぶりの人も、日に何度も出入りする人もいる。来訪理由も過ごし方も多様性を極める。そして、ほとんどの人がたまたまその場に居合わせた人と何かしらコミュニケーションをとっている。分刻みでいろいろなことが起こり、場の状態は移り変わっていく。全体を見守るのは簡単なことではない。

　芝の家では、数人のお当番のうち一人は、全体の見守り役を担当するようにしている。玄関に入って来た人への挨拶や、通りから興味深そうにのぞいている人への対応。次々起こる場を見守りながら、必要に応じて全体に声をかけたり、一人所在なげにしている人がいればそっと関わったり。こうした対応は、特定の来場者と話し込んだり作業に没頭したりしているとなかなかできない。空間の全体を見渡せる見守り役の定位置をつくることも大事だ。芝の家では、玄関と縁側がよく見える場所にスタッフ席を置

いている。不思議なことに、全体を見守ってくれている人がいるだけで、場の安心感はぐっと高まる。

　一方、一人ひとりの存在を大切にすることも欠かせない。新潟の常設型地域の茶の間「うちの実家」を運営されている河田珪子さんには、あたたかい場づくりの秘訣として「一番弱い人をケアする」と教わった。初めて来たばかりで知り合いのいない人や一人ぽつんとさみしそうにしている人など、その場で最も心細いだろう人を見逃さずに寄り添うこと。隣に座って話し相手をしたり、巧く馴染めるように他の人を紹介したりする。場を運営するリーダーが弱い立場の人に親切に接することで、それを見た他の来場者は安心するし、その人もまた他の来場者に対して親切に振る舞うことがしやすくなる。そうして、場にあたたかい空気が広がっていく。お当番をしていると、どうしても常連や話好きの来場者との関わりが多くなりがちだが、一番弱い人をケアすることは、いつも心の隅に留めておきたいポイントである。

◇挨拶の多様な効果

　基本的なことだが、挨拶の力は絶大だ。来場者に対しての挨拶はもちろん、通りを行き交う人や、ここはどんなところなのだろうと興味を惹かれて立ち止まる人への声かけ、帰り際のちょっとした会話など、小さな挨拶は関係性を滑らかにする潤滑油だ。

　まず、芝の家に来場した人への挨拶。これは、場に歓迎され、受け入れられたという実感を生む大事な要素だ。芝の家のような地域の居場所は、どんなにあたたかい雰囲気で運営されていたとしても、初めての人が足を踏み入れるには敷居が高い。もし、戸をがらりと開けて玄関に入っても、誰にも声をかけてもらえなかったらどう感じるだろうか。ましてや、怪しい人が来たかのようにじろじろ見られたら。とても歓迎されているようには感じられないだろう。逆に初めての場であっても、「こんにちは！」「どうぞ！」と声をかけられるだけで、ホッとするし、安心するだろう。

来場者へ挨拶するときは、できるだけその人の名前を呼ぶようにする。「○○さん、こんにちは！」「○○さん、お久しぶり！」のように呼ぶことで、自分のことを覚えてもらえているという安心感が生まれる。また、他の来場者にとっても、スタッフが名前を呼んで挨拶して一言二言おしゃべりしているのが耳に入ることで、その人がどんな人なのか、常連なのか久しぶりに訪れた元スタッフなのか、少なくとも怪しい人ではないことが、なんとなく伝わり、関わりやすくなる。こうした自然な情報共有は、お当番スタッフにとっても有益だ。スタッフも常連や関係者を全員知っているわけではないから、来場時に名前を呼ぶことで、「あ、今来た人はこういう人なんだな」と自然に共有できる。何かあった時に、声をかけやすくなるのである。

挨拶も、慣れないと飲食店のそれに近い言葉になってしまうこともあるが、芝の家では帰りがけも、「ありがとうございました」とはあまり言わない。「いってらっしゃい」とか「お気をつけて」とか「またね」といった言葉のほうがしっくりくる。一旦出かけて帰って来た人には、「おかえり」。芝の「家」なので、家らしく。少し言葉遣いが変わるだけで、親しみやすさがぐっと上がる。

◇仲良しグループをつくらない

これも河田珪子さんに教えていただいたポイントだが、はじめに聞いた時は少し驚いた。良い関係性をつくるのが居場所なのに、仲良しグループは駄目なのかと。この真意は、常連だけを優遇したり仲の良い人たちだけで固まったりすると、居場所としてはどんどん閉鎖的になってしまうというところにある。メンバーが固定された高齢者のサロンや地元の飲み屋は、新参者には入りづらい。勇気を出して居場所に足を運んだのに、受け入れてもらえなかったと感じれば、孤独感や絶望感はかえって増してしまうだろう。だから、いつもオープンな雰囲気を失わない心がけが大事なのである。

しかし、場の安心感を生みだすのは、そこが守られた場所であるという
ある種のクローズさである。オープンであることは安心感の裏面であるこ
とから、そのさじ加減は難しい。スタッフにとっては、気心知れた人のほ
うが気楽に受け入れられるし、お話も楽しい。突然訪ねて来た日本語を話
せない外国人旅行者や、ながながと持論を振りかざすおじさんの対応は確
かに面倒である。だが、お当番スタッフが常連とばかり仲良くしていたら、
初めての人は居心地が悪いだろう。何気ないスタッフの振る舞いが場を仲
間内のものにしていってしまうことがよくある。毎日、初めての人が来る
くらいがちょうど良い。

　そのために、日々の対応の心がけが欠かせない。空間的にも、サークル
の部室のような雑然さは、毎日入り浸っている人には気にならないが、初
めての人には必ずしも心地良くはない。外のものを歓迎するしつらえでは
ないからだ。自分が今日初めて芝の家に来たらどう感じるだろうか。そう
した気持ちを時折思い出すことが大切だ。

◇場の文化を生みだす振り返り

　芝の家の毎日は、何が起こるか誰にも予測できない5時間である。い
つどんな人が来て、どんな挨拶や会話が交わされ、人々がどのように過ご
し、どんな偶然の出会いや出来事が起きていくのか、数分後に何が起こる
のかすら分からないという場である。そのように過ぎていく1日には、独
特の味わいがある。私たちはこれを「非構成的な場の味わい」と呼んでい
るが、そうした時間の流れのなかでは、どんなに小さい出来事も、その日
その場でしか起きえなかった奇跡のように感じられる。芝の家では毎日、
振り返りミーティングを行い、その日の味わいを味わい直す時間を持って
いる。

　これは、よく行われるような反省会ではない。ゆっくりとその日起こっ
たことや感じたこと思い返し、自由に話してみる。まさに1日をスタッ
フ全員で体験し直すような時間だ。毎日ゆっくり振り返りの時間を持つメ

リットは、スタッフの気持ちや関係性を整えること、問題点の共有をすること、そして場の文化を醸成していくことなど幅広い。

まずスタッフの気持ちだが、1日場を運営するとさまざまなことが起こる。あの子どもへの対応はあれで良かったのだろうかとか、来場者の振る舞いが気になったのだがみんなはそう思わないのかとか。こうしたモヤモヤをそのまま家に持ち帰ると、翌日来る時に気が重くなってしまう。まずは気になったことを言葉にして共有すること。同じ具体的な出来事をその日に話し合うことで、気持ちを整理してから家に帰ることができる。場の運営の問題を話し合う際に会議が空回りする原因に、問題を抽象化してしまうということがある。「最近の子どもたちの振る舞いが問題だ」と言っても、それぞれ思い返す場面も異なり、すると何が問題でどう対応するのか、議論が上滑りしてしまう。そうではなく、その日起こった具体的な出来事に基づいて話し合うことが、スタッフ間の気持ちや価値観に沿った共有をするのに有効である。

また、問題点を共有し、対策を講じなければならない場合もある。この時に心がけているのは、「とりあえずの結論」を出すことである。これは徳島県阿南市にあるフリースクール「トエック」の伊勢達郎さんに学んだコツである。場の運営に問題は尽きないし、その日の限られた時間で完璧な改善策を出すことはほとんどできない。だから、まず明日はどうしようかというとりあえずの結論が決まれば良い。それでまた問題が出れば、また翌日に次のとりあえずの結論を探せば良いのである。

最後に、私たちが最も重要だと考えるのが、振り返りによる場の文化の醸成だ。よくいろいろな問題に対して「ルールを決めれば巧くいく」と提案してくれる人がいる。場の特性によっては効果的なルールづくりも可能だろう。しかし、芝の家の実体験からは、たとえルールを決めても、起こる出来事には例外のほうが多い。スタッフ一人ひとりの価値観や持ち味も違う。共通したルールを守るのは、意外と難しい。芝の家の振り返りでは、問題があればもちろん話し合うが、話題の過半は、その日起こって嬉しか

ったことや感動したことである。ここが味わい直しの真骨頂なのだが、これをすることで、今日ここにいられて良かったと心から思えるし、それぞれが大事にしている価値観が自然と通じ合うようになる。毎日これをすることで、みんなが大事にしている芝の家らしさや、さすがに受け入れられないことがなんとなく共有されていく。お当番の振る舞いとして素敵なあり方も受け継がれていく。そのなかから最低限気をつけようという一線、コモンセンスのようなものが浮かび上がる。誰かが指示しなくても、一人ひとりが自分を大切にしてじっくりと話し合うことで、そのうちみんなが共鳴できる規範が生まれてくる。それを信じて、毎日コツコツと丁寧にチェックインと振り返りを繰り返すこと。芝の家のきりもりのデザインで最も重要なポイントである。

◆くわだてのデザイン

◇お客さんをつくらない

　しつらえ（空間）ときりもり（マネジメント）が居場所運営の土台だとしたら、それを活性化していく働きかけが、くわだて（コンテンツ）のデザインである。

　活動が活発に行われている地域の居場所では、参加者が自発的にいろいろなイベントを企画し実行していくが、もちろん最初からそうした状態であったのではない。一人二人と訪れる人があり、見知らぬ参加者同士が関係を深め、しだいにそれぞれが自分のやりたいことを実現できるようになる。そんな雰囲気を醸成し、居場所の成長を見守ることが必要だ。

　新しい人の来場や交流のきっかけづくりとしてイベントを実施することは有用ではあるが、気をつけておかなければいけないのは、「お客さんをつくらない」という意識を忘れないことである。講演会やワークショップなどを開催すると、どうしても客をもてなす気持ちで準備してしまう。しっかりと準備すること自体は良いとしても、何から何までスタッフが完璧

に用意してしてしまったり、来場者を楽しませるイベントをスタッフが企画し続けたりということになると、良いイベントはできるかもしれないが、結局のところ受け身で楽しむ「お客さん」を増やしてしまう。地域の居場所は主体的に活動する人を応援することが目的なのに、あれこれ要望したりいたらない点を指摘したりする消費者的マインドの人が増えてしまうのは本末転倒だ。

　来場者の顔が見えるようになり、相互の関係性ができてきたら、それぞれのやりたいことや得意なことを後押しするような企画をつくっていくことが有効である。そのためには、来場者一人ひとりをしっかりと見守り、一人ひとりの声に耳を傾ける姿勢が必要である。

◇「イベント」も「出来事」の一つ

　出来事とイベント。英語だとどちらも event だが、日本語の響きでは、出来事は偶然起きること、イベントは催事という印象がある。イベントはしっかり計画して、周知にも力を入れなければならない、私たちは何かイベントを行うというと、失敗のないようにつくり込まないといけないと思ってしまう。

　来場者のやりたいことを後押しするには、そうしたイベント観を手放してみよう。区報に掲載したり小学校へチラシを配布したりするイベントは、企画から実施まで2カ月くらいはかかる。「こんなことをしたい」という想いを聞いた時、まずそうした大掛かりなイベントを思い描くのではなく、それがもし今できることなら今すぐにやってみる。材料など少し準備が必要なら来週やることにして、今日はチラシをつくる。このようなマインドで来場者に接していると、すぐに即興の切り絵教室、ゼリーづくりの会、アコーディオン演奏会などが次々と開催されていくようになる。

　もちろん一つ一つは小さな企画だが、これを見た来場者は、「私にもできるはず」と思ってくれるかもしれない。すると、この場では自分のやってみたいことが実現できるんだと気持ちの敷居を下げることができる。こ

うしたエネルギーを堰き止めているのが、実はスタッフの「しっかりした
イベントをしなければ」というとらわれかもしれない。偶然の出来事のよ
うなイベントもイベントの一つ。気楽な気持ちでやってみることが大切だ。

◇その人の持ち味を発揮するステージづくり

　芝の家は、その人の持ち味を発揮して、やりたいことや得意なことを実
現するステージである。魅力的なイベントの数々が開催されている施設と
いうよりも、その人の魅力にスポットライトがあたるような場でありたい
と考えている。

　イベントごとはどうしても、人を集めるのが目的になってしまいがちだ。
確かに、魅力的なイベントがきっかけになって足を運ぶようになる人もい
る。また、芝の家の新しい参加の入り口づくりとして、積極的にこれまで
になかったテーマでイベントを組むこともある。地方での教育に興味のあ
る子育て層やグリーフケアに関心のある人向けのイベントなど、こういう
人に来て欲しいという意図を持って開催されるイベントである。しかしそ
れらも、人数を集めることが目的ではなく、芝の家をステージに活躍して
くれそうな人をお誘いするイベントである。基本にあるのは、やりたいこ
とや得意なことの実現を後押しする姿勢だ。

　一方、外からの企画が持ち込まれることもある。その場合は、なんでも
無条件に受け入れるわけではない。芝の家は公的な事業でもあるので、商
業目的や特定の宗教関係の事業はもともとできないが、それらをクリアし
ていたとしても、「港区民が参加できる」「芝の家のためになる」の二つの
条件を満たさないイベントは受け入れていない。「芝の家のためになる」は、
やや判断が難しいのだが、他の施設でも良いのではないかという点が重要
だ。すなわち芝の家を都合の良いイベントスペースとしてのみ利用する場
合はお断りするケースが多い。それ以上に重要なのは、イベントを開催す
ることで翌日から芝の家に良い変化があるかという視点である。これは、
芝の家の人たちに新しい価値観や知識をもたらしてくれるような刺激があ

写真5　その人の持ち味を発揮するステージづくり

るかどうか。また、先に記した意図的に参加者を集めるイベントと同じように、これまで芝の家に接点がなかった人と関わりが持てそうか。といったところをチェックするようにしている。

◇曖昧な空間がやりたいことを引き出す

　これは半分しつらえのデザインだが、やりたいことを引き出すための空間づくりも大切だ。いろいろな道具が揃っていたり、好奇心を刺激する本が置いてあったり。

　なかでも、どのような使い方も許されるような曖昧な空間は、人それぞれのやりたいことを引き出してくれる。どういうことかというと、逆に曖昧さの少ない空間、たとえばレストランや美容院は、看板をよく読まなかったとしてもそこが飲食店や理髪店であることかが分かる。飲食店なら、蕎麦屋か中華料理屋かも明らかなことが多い。このように空間には「らしさ」があり、それに沿ってその空間らしい行動をとる。

　地域の居場所の場合は、こうした空間デザインのコードと用途の結びつ

きが弱く、一見して何をするところなのか判然としないということが起こる。家なのかカフェなのかギャラリーなのか、何を目的とした空間なのか分からない。すると、たとえば上映会をしたいと思っている人には映画館に、カフェをやりたい人には喫茶店に、手芸教室をやりたい人には工作室に見える。空間の使用法に余白があることで、それぞれのやりたいことを投影できるのである。それが、多様な活動のきっかけになるのである。

　このことは、逆に「分かりにくさ」も生む。芝の家は通りに面した1階部分というアクセスの良い恵まれた条件にあり、縁側や玄関など知らない人でも入りやすいような工夫を凝らしている。それでも、一般的な店舗と比較して、地域の居場所は、入りにくい。「以前から何度も前を通り、気にはなっていたのだけど、なかなか入りにくくてね」という人も多い。

　こうした「入りにくさ」を問題視すると、安易に「分かりやすさ」を求めてしまうことがある。事業目的を掲げようとか、どんな人がどういうことをする場所かを看板に書こうとか。ある程度の説明は必要である。しかし、気をつけたいのは、分かりやすさの背後にある排除だ。たとえば「お年寄りや子育て中のお母さんがお茶を飲みながらおしゃべりするところです」という看板を出したとしよう。「それならぜひ利用してみよう」という人も、もしかしたらいるかもしれない。しかし、こうした分かりやすい看板は、多くの人を「自分は対象者ではない」という気持ちにさせてしまう。この看板を見たお年寄りでも子育て中でもない近隣の人々、会社員や大学生は、自分は利用できないと思うだろう。さらに、お年寄りとおしゃべりしたいとはとくに思っていないお母さんも、「私のことではない」と思うかもしれない。分かりやすさの裏には、実は気づかない排除や限定が潜んでいる可能性がある。曖昧さや分かりにくさが秘めている創造性にも目を向ける必要がある。

◇**情報発信は届けたい人の顔を想像しながら**
　イベントの告知の仕方は、多くの地域の居場所の課題の一つだろう。せ

っかく良いコンテンツを用意したのだから、多くの人に知ってもらいたい。

　一般的には多様なチャネルを使い分けて、来て欲しい人に届くようにデザインする。芝の家は、独自のウェブサイトに月々の予定と個別のイベントのお知らせを掲載するほか、メーリングリストで月に一度案内をしている。Twitter や Facebook などの SNS は公式には使っていないが（Instagram には、日々の様子を伝える写真をアップしている）、スタッフそれぞれが情報発信を行うために便利である。その他、月ごとのカレンダーと個別のイベントチラシを印刷し、区役所や町内会の掲示板へ掲示したり、港区の各施設に配布したりしている。また、規模の大きなイベントについては港区の広報誌への掲載や、近隣の小学校へ配布し児童に渡してもらうこともある。

　難しいのは、テーマの広さと地域の近さの調整である。多くの人が関心を持ちそうなテーマのイベントを SNS やウェブサイトで広く情報発信すると、東京中から人が集まってしまう。その逆に、少しマニアックなテーマのイベントを近隣の掲示板のみで告知しても、誰も集まらない。シニアが見る区の広報誌と子育て層が使う SNS の使い分けも、イベントの内容に応じて必要にある。

　やみくもに多くの人を集めなければと焦るのではなく、その企画にはどのような人に来てもらいたいのか、そのためにはどのようなチャネルがふさわしいのかを検討することが大事だ。そして、こういう人に来て欲しいと考えると、すぐに何人もの具体的な顔が思い浮かぶことも多いだろう。確実な情報発信は、そうした人にまず声をかけること。その人たちが、同じような立場や関心の人を誘ってくれることもある。

　それから、SNS 社会では事前の告知だけではなく、事後に広がる情報の影響力も大きい。参加者が、Instagram や Twitter で感想を投稿すると、その参加者には似たような価値観や問題意識を持っている友人関係があるはずで、その投稿を見て芝の家を知る人も多い。こうした一般の人の情報発信が重なって、新しい来場者が訪れたり、芝の家の雰囲気が伝わったり

する。

　多くの人が集まる地域の居場所は、地域に多くのネットワークを持っている。場をつくって人に来てもらうことだけにとらわれるのではなく、自ら地域のさまざまな催しや会議に顔を出し積極的にネットワークを広げることが、結果的に多様な人の訪れる機会を増やしていく。人を集めよう集めようと頑張りすぎると見落としてしまう点である。

◇みんなでつくり、みんなで楽しむ「いろはにほへっと芝まつり」

　時には、来場者とともに少し大きな行事を行うことも有効だ。芝の家では年1回、周年行事として「いろはにほへっと芝まつり」を開催している。普段芝の家を訪れる来場者やスタッフが勢ぞろいし、近隣の方々と一緒につくり、一緒に楽しむ「おまつり」である。久しぶりの人や卒業生も含めて、芝の家に縁のある人のネットワークを今一度かき混ぜる機会にもなっている。

　毎年300人ほどが参加するイベントだが、特徴はそのうちの100人以上がスタッフだということ。例年少しずつ形は異なるが、変わらないのは、芝の家のスタッフだけではなく、来場者のグループ、町内会や老人会、近隣の施設や大学のサークルなど、普段芝の家にゆかりのある人たちがそれぞれの特技を活かした「屋台」を出して参加するという形式である。小さなお店をそれぞれが出すことで、おまつりをつくりながら楽しむ構造になっており、毎年恒例の町内会の焼きそば屋台、老人会の綿菓子屋台をはじめ、小学生のネイルサロンやミニFMラジオ局、来場者によるフリーマーケット、工作教室などなど。近隣の店舗が休日返上でオープンしてビールなどを販売することもある。

　会場は、芝の家の面した通りで行っている（普段よく訪れる人たちが一度に集まると、芝の家には到底入りきれない）。路上をイベントで占有することはできないので、通りに面した駐車場や店舗をその日だけ借り受けて実施している。近隣の方々は快く会場を提供してくださっており、彼ら

写真6　みんなでつくり、みんなで楽しむ「いろはにほへっと芝まつり」

は自分の土地や建物を提供するという形で、おまつりをともにつくっているとも言えるだろう。こうして、芝の家を中心に通りのそこかしこに屋台が出され、年に一度、通りが賑やかなまつりの会場になる。さまざまな立場の人たちとともに非日常の空間をつくっていくことは、地域の共通の経験になり、そのコミュニティのつながりを密にする効果がある。まさに、現代版の「おまつり」である。

◇小さい地域活動へ

　来場者のやりたいことや特技を活かしたさまざまな活動が増えていくと、継続的な地域活動が生まれるようになる。芝の家で出会った人同士が、共通の関心に基づいて新しい活動を始める、という現象である。

　継続的な活動といっても、メンバーは3人程度と小さい。しかし、誰かから頼まれたのではない自発的な活動であり、単に自分たちだけに閉じた私的な活動というより、周りにとっても役に立つ公益的な活動である。

これを芝の家では「小さい地域活動」といって、来場者の大事な活動の一つに位置づけている。

　もちろん、すぐにこうした活動が生まれたわけではなかったのだが、芝の家では、開設後1年半ほどが経った頃から、なぜかこうした活動が続々と始まるようになった。月ごとの来場者が急に増えたとか活動支援を始めたといったような変化もなかったのだが、今から振り返ってみると、芝の家を縁にした人の人数が徐々に増え、人と人との関係性の網目がこの頃ようやく十分に広がったのだと考えられる。芝の家に多様な人が多く集まり、それぞれの知り合いが増えていく。すると、自分と同じような関心を持ち、共感できる仲間に出会いやすくなる。

　2人、3人と、想いを共有した仲間ができると、何かをやってみよう、ということになる。芝の家の場を活かして、スタッフが適宜サポートして、小さなトライアルが始まる。すると、芝の家のネットワークのなかでその活動は、たとえば子育てに関心あるグループという認知が広まり、ほかに同様の関心を持つ人がいたら自然と紹介されるということが起きていく。そして、仲間が雪だるま式に増え、活動が広がれば、より遠い個人や施設・団体とのつながりも増えていく。

　人的なネットワークがある程度広がり、そのなかで3人くらいのグループが生まれると、新しい活動が始まる。芝の家では「三人寄れば地域がうごく」と言っているが、人との出会いがきっかけになって、新しい活動が生まれ、育っていくための培養器としても、地域の居場所は貴重な存在である。

◆出来事の連鎖

　しつらえ、きりもり、くわだてによって、人々が集まり、関わり、さまざまな「出来事」が起こっていく。「出来事」が連鎖していくことで、1回限りの出会いがコミュニティに育っていく。日々起きていく出来事の連

鎖に伴走して、人と人とをつなぎ、人と場の変化や成長をみながら、生態系を育んでいく。これが、居場所づくりの醍醐味である。

　一方、課題は、こうしたコミュニティの場を運営する人材である。他人同士が安心して関わり合える環境をつくり、人と人とを結びつけていくのは、物理的な空間だけではなく、その場をつくる人の働きが大きい。芝の家を安定して運営していくためには、人と人とを結びつけていくことのできる人材の育成も欠かせない。限られた予算のなか、常に有能な人材を必ず確保できる保証はないのだが、居場所を訪れる人だけではなく、広く区内から地域で活躍する人材を集めることはできないか。こうした考えでスタートしたのが、「ご近所イノベータ養成講座」である。

3　ご近所イノベーション学校という コミュニティのプラットフォーム

　前節までは、芝の家の場づくりの方法を紹介してきた。芝の家が長年にわたって活気ある居場所であり続けている要因として、居場所内の運営の工夫は重要な要素だ。しかしそれだけではなく、他の事業との連携のなかで、芝の家が多面的・有機的に役割を果たしているということも大きな要因である。芝の家も一つのプラットフォームだが、第1節で触れたご近所イノベーション学校は、芝の家のほか、ご近所イノベータ養成講座、ご近所ラボ新橋という三つの事業によって形成される、複合的なプラットフォームである。この節では、ご近所イノベーション学校というプラットフォームの視点から、コミュニティ形成につながる場づくりについて見ていこう。

◆ご近所イノベータ養成講座

　ご近所イノベータ養成講座は、定員20名の少人数で、約5カ月にわた

り実践的な地域活動に取り組む講座である。2013年度に第1期が開講され、2020年度までで合計8期開講されている。カリキュラムは、講義やワークショップのほか、芝の家でのコミュニティ体験、グループでのプロジェクトの実践や発表など。従来型のまちづくり講座と異なるのは、地域課題を発見し解決方法を発表するという課題解決志向ではなく、まずは「自分のやりたいこと」からスタートし、それを地域につなげるアイデアを生みだしていくという価値創造志向の講座だという点である。また、解決案の提案だけではなく、講座期間中に小さな一歩を実践してみるプログラムになっており、講座終了後も続くネットワークづくりと活動を継続するための基本的な技法を身につけることを狙いとしている。

　初年度となった2013年には、定員を大幅に超える60名近くの応募があり、書類選考と面接審査によって20歳代から50歳代の20名が選ばれた。この後も毎年定員以上の申し込みがあり、第7期までに150名以上が受講し、17歳から79歳まで幅広い世代の修了生を輩出している。受講者は、子育てが一段落して地域で活躍したい女性、定年以降の地域活動を考える50歳代の会社員、地方出身・共働き世帯で子育て中のパパ、港区に引っ越してきたが地域に知り合いのいない人、育休中の教員、大学生などまちまちで、地域内の多様なネットワークが広がっている。2018年度からは無作為抽出で30〜50歳代の芝地区住民にダイレクトメールで講

写真7　ご近所イノベータ養成講座のワークショップ　写真8　シンポジウム

座の案内を郵送するようになり、さらに地区内の多様な人の参加が進んでいる。

　活動の成果として、毎年4〜5のプロジェクトが実践され、そのうちのいくつかは講座終了後も継続的に実施されている。たとえば、本の交換をとおしてタワーマンションのコミュニティづくりを行う「本とほんとコミュニティ」は、当初は芝浦アイランドで始まった企画だが、他のマンションからも開催の要望があり、その手法を指導するなど複数のマンションへ波及している。おいしい食材を取り寄せて近隣の人とともに土曜日の朝食を楽しむ「おいしいからはまる幸せ朝ごはん・朝市切符」も、芝の家を中心に年に数回開催され、地元の人々や生産地の方々との交流の場となっている。

◆ご近所ラボ新橋

　ご近所ラボ新橋は、新橋六丁目の公共施設「きらきらプラザ新橋」1階にある区民協働スペースを利用して行われている地域づくりの活動拠点である。誰でも、ご近所イノベーション活動を気軽に始めたり、仲間を増やしたりできるような「研究室」や「実験室」＝「ラボ」をコンセプトに、芝の家と同様、ボランティアスタッフが中心になって運営している。

写真9　「おいしいからはまる幸せ朝ごはん・朝市切符」が行われている芝の家

写真10　ご近所ラボ新橋で開催された「シバツク」の様子

写真 11　ご近所ラボ新橋

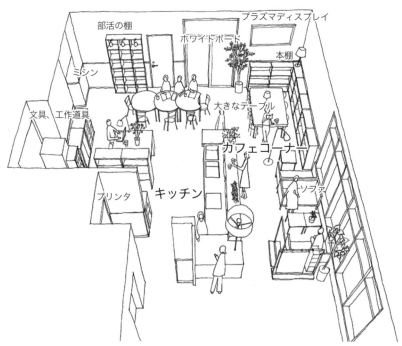

図 4　ご近所ラボ新橋のパース

もともと芝の家開設時点から、新橋六丁目に建築予定だった公共施設に、第二の芝の家のような交流拠点を設置することが計画されており、竣工する2014年4月に向けて準備された。前節で述べたご近所イノベータ養成講座は、このスペースを運用する人材を育成するという目的も視野にいれた計画であった。

　ご近所ラボ新橋も、あらかじめ事業計画が定まっていたわけではなく、芝地区総合支所と慶應義塾大学、芝の家の運営スタッフなどとともに協議を重ねてコンセプトが形づくられた。芝の家の立地する芝三丁目と異なり、周辺の人口は少なく、オフィスビルが多い。町内会も高齢化が進んでおり、祭礼や餅つきといった行事も警察署や区役所の手を借りるような状況である。それゆえ、芝の家のように、近隣の人がふらりと立ち寄る居場所的な場は成立しにくいと考えられた。一方、2〜3階には子育て支援施設が入居し、4階には会議室があるなど、芝の家にはない複合的な利用形態が想定された。

　また港区には市民活動センターといった住民の地域活動を専門にサポートする中間支援施設がないこと、前年のご近所イノベータ講座の開講をきっかけに「ご近所イノベーション」という言葉が定着しはじめていたこともあり、「ご近所イノベーション活動のプロトタイピングを行う拠点」というコンセプトが決まった。こうした計画は、2014年1月から3月にかけて実施した住民参加型のワークショップのなかで議論され、このなかで、「ご近所ラボ新橋」という名称も決まった。

　2014年4月にオープンしたご近所ラボ新橋だが、1年目は実質的に準備期間として試験的運営となった。週2日オープンしながら少しずつ実験的なイベントを行い、運営組織の形の検討を行った。同時に、ロゴや配布物のグラフィックデザインや、キッチンに天板や棚を取り付けたり、本棚を設置したりといった空間のデザインを少しずつ充実させ、カフェ機能、コワーキングスペース機能、部活やイベント機能を持ち、複数のマスターが運営を担当し部活やイベントをコーディネイトするという、ご近所ラボ

新橋の輪郭が徐々に形成されていった。そして2015年5月、「オープン・ラボ2015」というイベントを開催し、本格的にオープンした。

　現在は、曜日ごとの日替わりマスターが日々の運営を担当し、おしゃべりや喫茶、マスターの個性を活かしたイベントなどを楽しめるコミュニティ・ラウンジや、仲間が集まり定期的に開催される「部活動」、そしてグローブカフェやクリエイティブリユース手仕事カフェなど日替わりのマスターがそれぞれの個性を発揮した場づくりが行われている。また2015年度からは、ご近所イノベータ養成講座が数回開講されるなど、ご近所イノベーション学校との連携も深まっている。

　2014年度からご近所事務局ゼミナールの受講者を中心に始まった「24時間トークカフェ」は、ある一つの地域を取り上げ、そこで行われている住民主体のまちづくり活動や地域の魅力について24時間語り合うというイベントである。東京ローカルな地域づくりをする自分たちが、地方にある先端的な事例に学びながら交流を深めようという企画で、これまで、佐賀、長野県上田市、福岡県福津市津屋崎、山形県置賜地方といった地域をテーマに実施された。直接の移住や大規模な観光PRとはならないが、顔の見える関係人口を増やしていく草の根の事業で、移住説明会や物産展、姉妹都市の締結とは異なる水準のローカルな地域間交流の試みである。

◆事業間の相互作用による創発

　ここまで、芝の家、ご近所イノベータ養成講座、ご近所ラボ新橋の概要を見てきた。地域の居場所、地域の人材育成講座、地域活動の拠点という異なる形態の事業間の連携がどのように行われているか、まとめてみたい。

　図5は、3事業の相互の連携を示している。参加のきっかけと場の提供を通じた活動支援という2点から見てみよう。

　まず参加のきっかけだが、ご近所イノベータ養成講座の応募者は、ウェブサイトやダイレクトメールなどで講座の情報を知って応募する受講者も

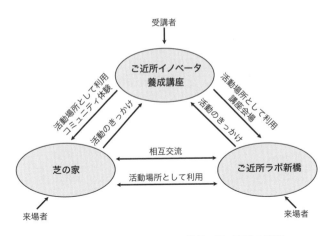

図5　ご近所イノベーション学校の三つ事業の関係

多いが、以前から芝の家の活動を知っていて、興味を持っていたという人もいる。また、ご近所ラボや芝の家の来場者やスタッフが受講することもある。その理由は、何か新しい一歩を踏み出したい、いまの活動をブラッシュアップしたいという動機づけが多い。

　一方、芝の家を訪れる人の多くは、近隣の住民である。たまたま通りかかったことで常連になる人もいれば、町会の関係者やイベントへの参加がきっかけで来場するようになる人もおり、多様ではあるものの、どちらかというと地理的な縁が強い。ここに加わるのが、ご近所イノベータ講座の受講生やご近所ラボの来場者である。これらの人の入り口は、どちらかというと関心つながりである。地域や社会的活動、その他趣味的な活動に興味を持って集まってくる。このように、性格の異なる事業が連携していることによって、単一の事業と比較して多様な参加者が生まれる構造になっている。

　また、場の提供を通じた活動支援という点では、イノベータ養成講座の受講生や修了生は、ご近所ラボ新橋を自分たちが自由に活動を始められるスペースとして認知しているため、日常的に訪れるだけでなく多様なイベ

ントを実施している。同様に芝の家でも受講生・修了生のさまざまな活動が行われ、また受講をきっかけに芝の家のスタッフになる人もいる。逆に、芝の家やご近所ラボ新橋で活動している人が、講座の講師になるケースもあり、自分の活動を人に伝えることが継続のモチベーションにもなっている。さらに、ご近所ラボ新橋や芝の家でのイベントが増えることで、新しい来場者の獲得にもつながっている。

　一般に、講座形式の人材育成事業は修了後の活動場所の提供が課題として上げられ、交流拠点の課題としては来場者が集まらない、イベントの準備が負担になるといった課題を抱えるケースが多い。だが、ご近所イノベーション学校では、講座と二つの交流拠点を備えたプラットフォーム運営を行うことで、修了生の活動支援を行いやすくするとともに、その活動自体が拠点の活性化にもつながるという好循環を生んでいる。

4　場づくりから地域づくりへ

◆地域が人の居場所に

　本章では、都市部のコミュニティを形成する場づくりの例として、港区芝地区総合支所と慶應義塾大学の連携によるコミュニティ形成の拠点・芝の家を事例に、その政策的背景、運営のポイント、事業連携によるコミュニティプラットフォームの視点から考察してきた。

　地域の居場所という場があることで、人々のつながりが生まれる。それが地域づくりに広がるためには、地域全体がその人の居場所になっていくことが必要だ。つまり、居場所という物理的な空間のなかだけでその人らしさを発揮できるだけでなく、地域全体がそうなることである。そのなかから、地域への関心や愛着が生まれ、地域の仲間との関係が広がり、地域への問題意識や自分らしい地域活動が育まれる。

都市部は、そこに「住んではいるが、暮らしていない」人が大半だ。

「住む」とは、その町に居住するということ。プライベートな生活はあるが、そこから働きに出て帰ってくるという、家と職場の往復がメイン。能動的に居住地を決めてはいるが、地域とのつながりは薄い。それに対して「暮らす」は、自分の家族や職業以外の地域とのいろいろな形のつながりがある生活のスタイル。近隣に知り合いがいて、通りで時折バッタリ会って挨拶を交わす。子育てや介護など生活上の悩みを分かち合える友人もいる。馴染みの店があり、地域に愛着が湧く。地域のさまざまな活動に誘われたり、自分でもテーマを持って活動していたりする。暮らすとは、地域全体が居場所になっていく、ということである。しかし、都市部で暮らしにつながることは、存外難しい。

芝の家とご近所イノベーション学校というプラットフォームは、ただそこに住んでいるという状態から、その地域で暮らし始めるためのきっかけであるとも言える。地域づくりに向けたアクティブなコミュニティが持続するためには、その基盤に暮らしのコミュニティを埋め込んでいくことが必要だ。その第一歩として、場づくりが有効なのである。

◆場づくりをとおしたソーシャルキャピタルの醸成

芝の家で生まれている都市部のつながりとは、どのようなつながりであろうか。最後に、ソーシャルキャピタル（社会関係資本）の視点から整理する。

地域は、図6のように、国や自治体など公的なセクターによるサービスから、それぞれの個人的な生活というプライベートな領域まで多様な階層のネットワークが重なることで地域の日常が営まれている。地域での暮らしや自治はこのうち、公と私のあいだの「共」の領域が軸となって営まれている。ここには、町内会やPTAといった組織化された（フォーマルな）共の団体や活動と、個々の人が共の領域で行動したり関わりあったりとい

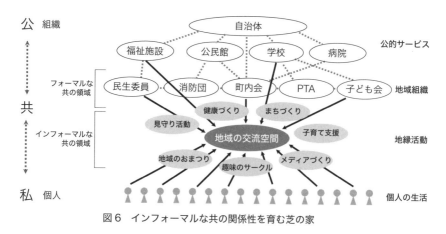

自治体

福祉施設　公民館　学校　病院　　　公的サービス

フォーマルな
共の領域

民生委員・消防団　町内会　PTA　子ども会　　地域組織

共

健康づくり　まちづくり

見守り活動

インフォーマルな
共の領域

地域の交流空間

子育て支援　　　地縁活動

地域のおまつり　　　　　メディアづくり
趣味のサークル

私 個人

個人の生活

図6　インフォーマルな共の関係性を育む芝の家

うインフォーマルな共がある。

　問題は、20世紀後半以降、かつてはフォーマルな共の組織を支えていた近所づきあいや助け合いといったインフォーマルな関係性が、個人主義化・社会的孤立の進行により、衰退してしまったことである。子育てや介護のみならず、虐待や孤立死などの問題が深刻であり、その解決が難しいこともインフォーマルな関係性のない地域社会の構造が原因である。

　芝の家やご近所イノベーション学校は、行政の施策ではあるが、公共施設のようにサービスを提供するのではなく、参加者がともにつくりあって成立している。こう考えると、図のように芝の家の本質は公的サービスというよりインフォーマルな共の領域の活動であると言える。そこで営まれる関係性や地域活動は、それ自体は小さい活動にすぎないが、減少し続ける都市部のインフォーマルなつながりを日々つくり直していると言えるだろう。

　人口が多く集積している都市部では、多様な価値観やライフスタイルが混じり合っているために、かえって多様な人と出会うことが難しい。行き交う人に知り合いはおらず、マンションには顔見知りが一人もいないということが当たり前の環境である。芝の家をはじめとした港区芝地区総合支所の取り組みは、都心部では政策的に生みだしていくことが困難なインフ

オーマルな共のソーシャルキャピタルの醸成にチャレンジする意欲的な事業である。一見楽しく軽やかな活動は、シビアな地域課題に挑む地域づくりとは印象を異にするかもしれないが、ごく普通の人々が地域の暮らしにつながり、地域に出番と居場所を得て、主体的に関わることのできる地域を目指している。それは、寛容で生き心地の良い都市社会の実現に他ならない。こうした都市部における場づくりの試みは、多くの人が地域づくりに関わる間口を広げていくために、今後もますます重要なアプローチになるのではないだろうか。

注

1. 芝の家は、2019年1月に建物の耐震対策のため同じ通りに新しく移転した。
2. 港区ウェブサイトによる。URL https://www.city.minato.tokyo.jp/toukeichousa/kuse/toke/jinko/jinko/index.html（2016年9月30日閲覧）。
3. 港区職員へのヒアリングによる。港区内の自治会・町内会数は約230で、近年は区役所が加入受付を代行するなどしているため加入者は増えているという。
4. 当時の人口はまだ20万人弱であった。

参考文献

- 広井良典他編（2010）『コミュニティ─公共性・コモンズ・コミュニタリアニズム』勁草書房
- 飯盛義徳（2015）『地域づくりのプラットフォーム─つながりをつくり、創発をうむ仕組みづくり』学芸出版社
- 慶應義塾大学グローバルセキュリティ研究所（2008～2010年度）『昭和の地域力再発見事業「芝の家」─芝地区の新たなコミュニティ創造事業に関する調査研究報告書』
- 慶應義塾大学グローバルセキュリティ研究所（2012）『芝地区の新たなコミュニティ創造事業に関する調査研究研究報告所：昭和の地域力再発見事業の評価』
- 慶應義塾大学グローバルセキュリティ研究所（2011～13年度）『地域コミュニティサポートスタッフ養成に関する調査研究及び運営委託業務調査研究報告書／「ご近所イノベータ養成講座」実施計画書』
- 国領二郎（2011）『創発経営のプラットフォーム─協働の情報基盤づくり』日本経済新聞出版社
- 三田の家有限責任事業組合（2011～13年度）『芝の地域力再発見事業「芝の家」事業報告書』
- 三田の家有限責任事業組合（2014～2015年度）『地域をつなぐ！交流の場づくりプロジェクト「芝の家」事業報告書』
- 名和田是彦編（2009）『コミュニティの自治』日本評論社
- 日本都市センター（2004）『近隣自治の仕組みと近隣政府─多様で主体的なコミュニティの形成をめざして』

- 奥田道大（1983）『都市コミュニティの理論』東京大学出版会
- 大杉覚（2009）「大都市における都市内分権と地域機関」『都市社会研究』Vol. 1
- 大杉覚（2016）「人口減少時代における地方創生と『都市と地方』」『都市社会研究』Vol. 8
- Ostrom, V. and Bish, F. P. (1977) *Comparing urban service delivery systems : structure and performance*, Sage Publications.
- R. D. パットナム（2001）『哲学する民主主義 — 伝統と改革の市民的構造』河田潤一訳、NTT 出版
- 坂倉杏介（2011）「地域の居場所からのコミュニティづくり — 芝の家の『中間的』で『小さい』グループ生成を事例に」『慶應義塾大学日吉紀要社会科学』第 21 号、pp. 63 〜 78。
- 坂倉杏介、保井俊之、白坂成功、前野隆司（2012）「『共同行為における自己実現の段階モデル』による『地域の居場所』の来場者の行動分析：東京都港区「芝の家」を事例に」『地域活性研究』Vol. 4、pp. 23 〜 30
- 坂倉杏介（2013）「地域の居場所の成立過程に関する一考察 — 港区『芝の家』の取り組みを事例に」『地域福祉実践研究』第 4 号、pp. 55 〜 70
- 敷田麻実、森重昌之、中村壮一郎（2012）「中間システムの役割を持つ地域プラットフォームの必要性とその構造分析」『国際広報メディア・観光学ジャーナル』（14）、pp. 23 〜 42
- Stahlbrost, A. and Holst, M. (2012) *the Living Lab Methodology Handbook*, LuleGrafiska.
- 海野進（2009）『地域を経営する―ガバメント、ガバナンスからマネジメントへ』同友館
- 牛山久仁彦（2004）「自治体政府と都市内分権」、武智秀之編『都市政府とガバナンス』中央大学出版部、pp. 127 〜 147
- 山崎丈夫（2003）『地域コミュニティ論 — 地域住民自治組織と NPO、行政の協働』自治体研究社
- 保井俊之（2012）『「日本」の売り方 — 協創力が市場を制す』角川書店

3章 多世代の居場所づくりの実践と課題

伴英美子

　"居場所づくり"において直面する課題の一つは、物理的な空間を設けただけでは、人々が交流し、心を寄せる"場"とはならないことである。

　本章では「人々の居場所をつくるためには具体的にどのようなことが求められるのか」を示す一事例として、慶應義塾大学 SFC 研究所と湯河原町の共催プロジェクトとして始まった「ゆがわらっことつくる多世代の居場所」の実践を紹介する。そして"多世代共創"をベースとした、空間づくり、場づくり、プラットフォームデザインを提示し、その効果と課題について考察する。

1 ゆがわらっことつくる多世代の居場所とは

◆ "多世代の居場所" ある夕方の出来事

　2019年3月[注1]。縁側からポカポカと柔らかな陽射しが差し込む。民家の一室で、ちゃぶ台を小学生から40代までの人々が囲み、和やかに談笑している。

　「"居場所[注2]"で印象に残っていること、"居場所"に来て自分が変わったと思うことは何ですか？」。居場所未来会議の企画者、大学院生のりょうたが問いかける。

　「ぼくは"居場所"には100回以上来ているよ。（小学校低学年男子）。」

　「宿題をやったよ。すごく集中できた。前はお母さんと来たけど、今日は1人で来れたよ（小学校低学年男子）。」

　「皆でドッチボールをして楽しかった。（小学校低学年女子）。」

　「地域のイベントに出店した時、先輩たちが来てくれて、一緒にお店を運営してくれました（大学生スタッフ女子）。」

　「居場食堂！色々な世代の人がみんなで協力して料理をする空間だったことが新鮮だった。人と関わる機会が増えた！初めて来たような人でも歓迎する雰囲気で自分のしたいことができる自由な感じがいいなぁって思う（高校生女子）。」

　「これまでの私は、閉じていたけれど、ここに来て、自分は人の成長を見守ったり、気にかけたりすることが好きなんだなぁ、ということに気づきました（40代地域スタッフ女性）。」

　「私は事情があって大学進学を諦めたのだけど、ここで大学生に混ざってゼミを受けて、あぁこれが大学の学びなんだなって、女子大生気分を味わいました（40代地域住民女性）。」

　笑いあり、涙あり。話が尽きない。

写真 1　建物の外観

　「色々な意見が出ましたね。次回はこれから居場所で何をしたいか考え
ましょう。」りょうたが笑いながら会の終了を告げた。

◆ "多世代の居場所" の空間的特徴

　「ゆがわらっことつくる多世代の居場所（以下 "多世代の居場所"）」は、
多世代の人々が安心して過ごせる居場所である。"多世代の居場所" は湯
河原町中央の静かな住宅街に位置する。築 30 年。何年も使われていなか
った、木造 2 階建て、広さ（建物面積）76.01m^2 の民家が、耐震補強とリ
ノベーションを経て、地域の居場所として再生した[注3]（写真 1）。庭には
シンボルツリーのみかんの木が植えられ、私道に面した居間にはベンチと
しても利用可能な手づくりの縁側があり、外と中の空間をつなぐコミュニ
ケーションの場となっている。1 階には台所と居間があり、来所者の多く
が過ごす憩いの場となっている。居間には座面が開閉できる手づくりの椅
子兼収納ボックスが設置されている。2 階には 3 部屋の壁を抜いて創られ
た広めの空間がある。ここは大人数でのイベントなどに使われる他、宿題
コーナーになったり、期間限定の美術館になったりと多様な使われ方をし
ている。この一角にある本棚もまた手づくりである。

"多世代の居場所"は車道から建物 1 軒分奥まった位置にある。車道の向かい側にはさくらんぼ公園という広さ 3461 m² の公園があり、天気のよい日の放課後には大勢の子どもたちが遊んでいる。"多世代の居場所"の開所時には、公園から見える場所にのぼりが出される。子どもたちは、このぼりを目印に"多世代の居場所"に遊びにくる。

◆地域共生社会と "多世代の居場所"

　日本では、高齢化や人口減少の進展により、医療・介護・福祉といった社会保障制度の根本的な見直しが課題となっている。これに対し、政府は持続可能な社会のビジョンとして「地域共生社会」を掲げた。「地域共生社会」とは、「社会構造の変化や人々の暮らしの変化を踏まえ、制度・分野ごとの「縦割り」や「支え手」「受け手」という関係を超えて、地域住民や地域の多様な主体が参画し、人と人、人と資源が世代や分野を超えつながることで、住民 1 人ひとりの暮らしと生きがい、地域をともに創っていく社会を目指すもの」[文1] である。

　国立研究開発法人科学技術振興機構の社会技術研究開発センター（JST－RISTEX）は、「持続可能な多世代共創社会のデザイン」を研究開発領域として設定し、2014 年から 2019 年まで、複数の研究プロジェクトを支援した。「ゆがわらっことつくる多世代の居場所」は、同研究開発領域の 1 つである、「未病に取り組む多世代共創コミュニティの形成と有効性検証」プロジェクト[注4] の一環として設立された[注5]。神奈川県内で最も少子高齢化が進んでいた湯河原町の冨田幸宏町長が本プロジェクトの推進に理解を示したことが、フィールド選定の決め手となった。プロジェクトの実施期間は 2014 年 11 月～ 2018 年 3 月であった。

◆湯河原町の特徴

　ここでプロジェクトの舞台となった湯河原町について触れたい。

　湯河原町は、海と山と川の美しい自然環境と豊かな温泉や歴史文化に恵まれた温泉観光地である。神奈川県の西南端、横浜から 60km、東京から 90km の位置にあり、町の南西部は静岡県熱海市に接している。町の東部は伊豆半島や真鶴半島に囲まれた相模灘を望み、北西部は国立公園及び県立自然公園を含む美しい山々に囲まれている。

　湯河原町の人口は 2018 年 1 月 1 日時点で 2 万 5453 人（男性 1 万 1928 人、女性 1 万 3525 人）[文2]、2005 年をピークに人口減少が進展している[文3]。

　町には高等学校以上の教育機関が存在せず、大学進学や就職を機に都市部へ流出する若年層が多い一方で、温暖な温泉地であることから、リタイア後に転入してくる高齢者が多い。これが町の少子高齢化に拍車をかけている[注6]。

　2018 年 1 月 1 日時点の年齢階層別（3 区分別）人口の構成割合をみると[文4]、年少人口（0 〜 14 歳）が 8.4%、生産年齢人口（15 〜 64 歳）が 50.3%、老年人口（65 歳以上）が 41.3% であった。神奈川県内の市町村で最も老年人口割合が高く、下から 3 番目に年少人口割合が低く、少子高齢化の現象が顕著である。町には小学校が 3 校、中学校が 1 校あるが年々生徒数が減少している。

2 空間づくり──"多世代の居場所"設立のプロセス

◆ 2011 年：子どもフォーラム

　"多世代の居場所"は、「多世代共創コミュニティ」の有効性を検証しよ

うとする研究者と、「ありのままの自分でいたい」「本音で話したい」「安心できる場所が欲しい」と願う子どもたちとの出会いにより始まった。

　そのきっかけは研究プロジェクト開始の4年前にさかのぼる。湯河原町教育委員会では、2011年から「湯河原町子どもフォーラム」という学校の枠を越えた子どもたちの対話の場を設けていた。会は1年間に7回、午前9時から午後4時まで開催された。この会には、小学校4年生から中学校3年生までの有志の子どもたちが毎回約30〜40人参加していた。活動内容や対話のテーマも子どもたちが自由に決め、活動していたが、しだいに「いじめをなくすにはどうしたらいい？」「もっと本音で話をしたい」「学校にいる私は私じゃない」等と、より深い次元での対話がなされるようになった。「月1回の子どもフォーラムの時だけじゃなく、いつでも本音で話せる場所、ありのままの自分でいられる居場所が欲しい」という子どもたちのニーズが次第に強くなっていった。そして、子どもフォーラムの実施形態がそうであったように、その場には同世代の友人だけでなく、地域のお年寄りや大学生など、多様な世代がいたほうが話しやすい、ということを子どもたちは経験的に感じていた。この子どもフォーラムの企画運営を湯河原町から委託されていたのが、後に"多世代の居場所"の運営メンバーとなる慶應義塾大学政策・メディア研究科特任助教の山田貴子である。この山田の経験をヒントとして、子ども世代においては、多世代のコミュニティが精神的な健康を促進するという仮説が立てられた。

◆ 2015年："多世代の居場所" の構想

　"多世代の居場所"の空間づくりは、デザインを決定するまでのプロセスに特徴がある。ここでは構想から開設までの経緯を記す。

　2015年11月より7回の企画ワークショップを開催した。ワークショップは「多世代が共創する居場所をつくるには、多世代の共創によってその居場所自体をつくることが効果的である」という仮説のもと、有志の子

どもたちを中心とした湯河原町民と、研究プロジェクトのメンバーという多世代の参加により実施された。構想段階から当事者が参画するというプロセスは本プロジェクトの特徴の一つである。

　第1回のワークショップは「みんなが安心できる居場所とは」というダイアログからスタートした。子どもたちからは「否定されない」「安全」「人がいる」「いる人が明るい」などの基本イメージの他、「居場所があれば学校や家で喧嘩をしたときに逃げられる。"他人"からいろいろな見方を聞いて、素直な気持ちになって家に帰りたい。」という意見や、「自分と同じ世代は、自分と同じような意見しかもっていなさそう。いろんな世代の意見を聞きたい。」「後も先もない"他人"だからこそ、本当の自分をさらけ出せる。」というような、緩やかな「斜めの関係」への期待が述べられ、居場所運営の一つの方向性が明確になった。そして「子どもからお年寄りまでが安心して過ごせる"多世代の居場所"」というコンセプトが打ち出された。第2回には東京都港区と慶應義塾大学の協働で運営されるコミュニティスペース「芝の家」（東京都港区芝）を視察した。「芝の家」はプロジェクトメンバーの1人、東京都市大学都市生活学部准教授の坂倉杏介が運営に関わる拠点である。「現代社会で見失いがちな、暮らしのあたたかさを育んでいくため、子ども、大人、お年寄り、住民、在勤・在学者、だれでも自由に出入りでき、みなさまと共にまちを考え創ることのできる場」をコンセプトとした場である。ワークショップの参加者は芝の家の赤ちゃんからお年寄りまでが過ごす空間で一緒にお弁当を食べたり、話し合ったり、楽器やおもちゃで遊ぶなどして、"多世代の居場所"のイメージを膨らませた。「一軒家」「縁側」「大人数で食事ができるちゃぶ台」などの空間的な着想はここで得られた。地元の小学生がゲームに興じる姿を見て「私たちの居場所はゲームは禁止にしよう。」という声があがり、このルールは現在の"多世代の居場所"に引き継がれている。第3回のワークショップでは、DIYによる建物づくりに定評のあるHandi House Projectより講師を招き、レゴブロックを使って理想の居場所の空間や設

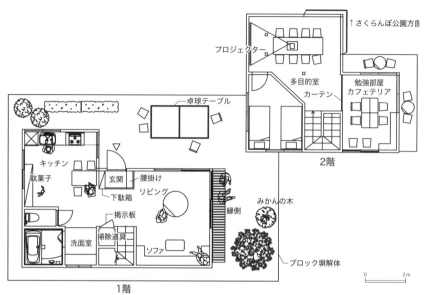

図1　設計図案（出典：Handi House Project 山崎大輔氏作成）

備について構想を練った。第4回は"多世代の居場所"の完成後のイメージを要素カード（家具等の写真）やロールプレイにより共有した。ロールプレイでは、挨拶、共同作業、個々のくつろぎ方、会話が行われている様が再現され、多世代の交流のイメージが可視化された。そして、第5・6回には実際に"多世代の居場所"をつくる拠点探しのためにいろいろな物件を見て回り、第7回には候補地の図面を用いて設計図案を作成した。子どもたちが描いたスケッチは Handi House Project の山崎大輔氏の手により設計図に起こされた（図1）。

◆ 2016年：放課後リノベーション

2016年（平成28年）5月から山崎氏の監督の下「放課後リノベーション」というワークショップ形式のリノベーションが始まった。約7カ月、延べ30回にわたる「放課後リノベーション」には子ども、大学生、地域

の方々などの素人と建築家、大工さんなどの専門家が参加した。柱・壁・床の解体、壁塗り、フローリング貼りなど、ほぼすべての作業が大学生と子どもたち、地域住民の手によって行われた（写真2）。作業の合間には、鬼ごっこや球技に興じるなど、交流を深めながらリノベーションを進めていった。放課後リノベーションは特に男子児童に人気であった。インパクトドライバーなど、普段手にすることができない工具を手にし、“本物の家”をつくる子どもたちの目は輝いていた。地域のお年寄りが手を貸してくれたり、手すりを寄贈してくれるなど、多世代共創の場となった。途中、耐震工事などで作業が中止になる時期もあったが、無事に“多世代の居場所”が完成した。

◆ 2016 年 11 月：“多世代の居場所” のオープンとその後

　2016 年 11 月 13 日、「ゆがわらっことつくる多世代の居場所」が開所した。オープニングセレモニーには、冨田町長をはじめとした町役場の職員や、多くの地域住民が参加した（写真3）。大学生と子どもたちが一緒にセレモニーを企画し、司会進行を務めた。テープカット、湯河原の代表的な農産物である“みかん”の木の植樹、大学生による落語、温泉地ならではの足湯（写真4）など、湯河原町らしいオープニングセレモニーとな

写真3　多世代によるテープカットの様子

写真4　仮設の足湯

写真2　解体工事をする子どもたち

写真5 1周年イベント、略称"居場　写真6 2周年イベント、青空将棋教室
所"が決定

った。なかでも、子どもたちが"多世代の居場所"に欲しいと願っていた、
みかんの木は湯河原町中央区の区長から寄贈され、足湯はNPO法人湯河
原げんき隊のボランティアが仮設の浴槽を設置して温泉の湯を運び込み、
その夢を実現した。

　その後、毎年11月には記念イベントを開催。地域住民や役場の関係者
を招き、セレモニーや展示、多世代が楽しめるイベントなどを実施してい
る。

　1周年イベントでは"多世代の居場所"の略称の決定、町長による「表
札への墨入れ」（写真5）、シンボルである「蜜柑の木への水やり」「居場
食堂」が実施された。

　2周年イベントは「感謝と成長を見せる場」と位置づけられ、1年間の「成
果物年表の展示」、地元の豆腐・生ゆば専門店十二庵の「豆腐ドーナツ販売」、
多世代で楽しむ「青空将棋教室」や今後の"多世代の居場所"について話
し合う「青空ゼミ」の4つのプログラムが実施された（写真6）。

3　場づくり —— 多世代が安心して過ごすことのできる場づくり

　実は、地域の居場所は、ただ物理的な空間を設けただけでは、利用者が

増えない、メンバーが固定化されてしまう、偏った世代や立場の人だけが集まる、といった問題が生じやすい。人には自己及び他者を分類し、他集団へのバイアスや固定観念を持つ傾向や、類似性を好み異なる属性の者とのコミュニケーションが減る傾向があるといわれ[文5]、多世代が同じ場にいれば、必ず交流が起きるというわけではない。

　そこで"多世代の居場所"では、多世代の人々が暖かい「斜めの関係」を育み、安心して「ありのまま」に過ごすことができる場づくりを目指し、試行錯誤を重ねてきた。その基本は、そこに集う人々の想いと、言動の積み重ねである。本項では人々を方向付ける基本コンセプトと、いくつかのコミュニケーションの仕掛けを紹介する。

◆基本コンセプト「ありのまま」と「斜めの関係」

　「ありのままの自分でいたい」。これは、構想段階で子ども達から出された言葉である。「ありのまま」とは「偽りのないこと」「ありよう」を意味する。構想ワークショップの頃、子どもたちの間では「目立ちたくないもん。」「何か言われるからヤダ。」と空気を読み、嫌なことを「イヤ」と言えなかったり、言動を控える風潮があった。子どもたちの願いである「ありのままでいられる居場所」づくりは、我々の大切なコンセプトとなっている。

　「斜めの関係」とは、家族や組織内の序列にある「縦の関係」や、同世代との「横の関係」ではない、他の世代の人々との関係を指す。子どもたちが構想段階のワークショップで経験したように、日常生活での接点の少ない「斜めの関係」でこそ話しやすいことがある。「自分と同じ年の人は、自分と同じような意見しかもっていなさそう。いろんな世代の意見を聞きたい。」「"他人"だからこそ、本当の自分をさらけ出せる。」という子どもたちのニーズを受け、緩やかな「斜めの関係」を築くことを活動のコンセプトとして掲げている。

◆コミュニケーションの仕掛け

◇共感的コミュニケーション

普段のコミュニケーションで心がけていることは二つある。

一つ目は来所者に温かい関心を向けることである。人が往来する自由な空間を「居場所」と感じてもらえるように、来所時や退所時には、名前を呼び、声をかける。また子どもたちに対しては、今の気持ち、やっていること、こだわり、好きなこと、嫌いなことにスタッフが関心を向け対話の糸口としている。子どもによっては寂しい気持ちの表現が乱暴な振る舞いや暴言等として表出する場合があることを鑑み、注意を引きたいという気持ちが生じる前にしっかりと関わり、安心感を育む。

二つ目は共感的なコミュニケーションである。構想ワークショップにおいて、「みんなが安心できる居場所」の必須条件として挙げられたことの一つが「否定されない」ことであった。来所者の様々な言動に対して優劣や正しさで評価するのではなく、「○○はこういう気持ちなんだね。」とありのままを受けとめ、見方を広げるように対話を重ねている。また一方的に受けとめるだけでなく、スタッフの側も、「こう言われて嬉しかった。」「一緒に○○すると楽しいね。」「僕は○○されて悲しかった。」と積極的に気持ちを伝え、感情を持つ人として関わっている。

"多世代の居場所"は学校や塾のように「すべきこと」が決まっていない。だからこそ、時間に縛られずにじっくり相手の想いに向き合い、寄り添えることが強みである。

◇チェックイン・チェックアウト

多くのイベントはチェックインと呼ばれるルーティンから始まる。チェックインは、「今、ココ」の自分の気持ちに注意を向け、確認し、その場にいるメンバー同士で伝え合い、気持ちを整えるプロセスである。チェックインで行われることは、「今日呼ばれたい名前」と「今の気持ち」をそ

の場にいる人びとと共有するというシンプルなものである。プロセスのシンプルさに対してその心理的な影響は大きい。名前を言うことにより、他者から「自分」への視線に気づき、その言動が責任を伴うものへと変化する。気持ちを表明することで、その場に参加しているという意識が明確になる。また気持ちが受けとめられることで安心・安全な場であることが確認される。他者の言葉に心を傾けることで、相手にもまた生活があり、人生があり、感情も意見もある尊重すべき存在であることが感じられるのである。

　チェックイン・チェックアウトは強制されるものではない。恥ずかしさから発言しない子どもが続出して成り立たない時もある。一時期、このチェックイン・チェックアウトができなかった時期には、子どもたちの「自分たちの居場所」という感覚が薄れ、「自由（奔放）に過ごせる便利な空間」として使われるようになった。世代を超えた交流が減り、部屋に食べかけのお菓子やごみ、文房具やおもちゃが散乱するという事態が生じた。そこで、同じ効果を目指した補助的な働きかけとして、スタッフは「チェックイン」というワードに言及せず、日常の子どもとの触れ合いのなかで、名前を呼び「調子はどう？」「今日の居場所はどうだった？」など、子どもが今の自分の気持ちに向き合えるような問いかけをし、関心を持って回答を受けとめるようにした。また、学習支援やイベントでもアイス・ブレークを行うようにした。最近では「自分たちの居場所」という感覚を持つ子どもが多くなっているように感じる。

◇多世代交流を促進するプログラムの設計

　"多世代の居場所"が主催する様々なイベントや学習支援は、企画書が作成され、スタッフ間の相互チェックを経て実施される。チェック内容には、安全性や時間配分、予算、必要物品などがあるが、最も重要な点は多世代の参加者が自己と他者を大切にしながら、安心して交流できる構成になっているかということである。

表1 プログラム設計

- ・自分の気持ちに向き合い、メンバーと共有するところから始まる。（チェックイン）
- ・参加者同士の交流を促進するアイス・ブレークがあり、初対面でも打ち解けられる。
- ・異なる世代やバックグラウンドの人が関わり合うようなチーム編成や席順である。
- ・楽しさや遊びの要素がある。
- ・新しい世界（知識、技術、ネットワーク等）につながる要素がある。
- ・年齢に関わらず誰もが参加できる内容である。
- ・自分らしさを発揮できる内容（表現、運動）である。
- ・多様性や違いを楽しめる内容である。
- ・自身の表現や考えを表明し、それを受けとめられる場面がある。
- ・他者の表現や考えに触れ、それを受けとめる場面がある。

具体的には表1の内容が含まれる。

◇名札

名札は、毎回異なる来場者が訪れる"多世代の居場所"において、お互いが言葉を交わすための重要なコミュニケーションツールである。常連者はプラスティックのカードケースを、それ以外の者は布製のガムテープに油性ペンでニックネームを書き胸に貼っている。名札があれば、初対面同士の場合や、互いの名前を忘れてしまった場合でも、声をかけやすく、コミュニケーションが促進される。

◇名簿

"多世代の居場所"では、スタッフを含む全ての来所者に、名簿の記入を求めている。名簿の記入事項は、日付、来所時間、名前、住んでいる地区、所属機関（学校）、学年、年齢、性別、退所時間、有料のイベントへの参加の有無である。

名簿は、来所者とその目的の把握や実績を管理するための記録であるだけでなく、安全装置として機能している。これは構想段階でベンチマーク

した「芝の家」から取り入れた手法である。名簿は、身分を明かしたくない者の侵入を防ぐ。また記名という行為は来所者に責任ある行動を促進する効果もある。更に、人々の来所、退所にスタッフの意識を向けさせる効果もあると考えている。

◇**スタッフ間の情報共有** ──日報・メッセンジャーの活用

　当番のスタッフは閉所後、メンバーのみがアクセスできるネット上の日報に記録する。日報には、その日の出来事、スタッフの役割、来所者数、収入と支出などが記録される。当番以外のスタッフは日報や SNS のメッセンジャーにより、その日の"多世代の居場所"の様子や、来所者の印象に残る言動、運営上の課題や連絡事項を知る。来所者との「この前大活躍したんだって？」「○○作りが上手なんだって？」などの会話は、コミュニケーションのきっかけや、スタッフがその相手に関心を寄せていることを示すことにもつながっている。

4 プラットフォームデザイン ──「場」「学び」「実践・挑戦」

　"多世代の居場所"は「場」「学び」「実践・挑戦」3 つを軸として活動している（図2）。居場所という言葉からイメージされる「場」以外の軸を設けたのは、地域のプラットフォームを創ること、つまり「多様な主体の協働を促進するコミュニケーションの基盤となる道具や仕組み、空間[文6]」を創ることを目指したためだ。このプラットフォームのデザインは、本プロジェクトメンバーの 1 人である坂倉杏介氏が東京都港区で手がける事業より着想を得た。港区では地域の居場所である「芝の家」、地域の人材育成講座である「ご近所イノベータ養成講座」、地域活動の拠点である「ご近所ラボ新橋」の 3 つの事業があることで、多様な参加者の獲得や、活動機会の提供、活動の活性化、更なる来場者の獲得という好循環が生まれ

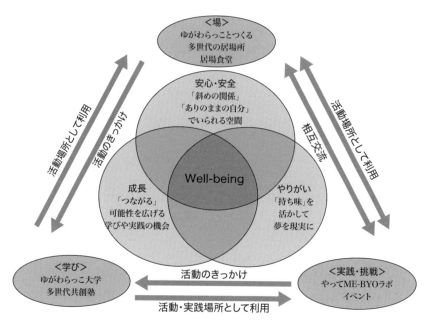

図2 "多世代の居場所"のプラットフォームデザイン

ているという[文7]。

　そこで、"多世代の居場所"のプラットフォームデザインにおいては、港区の事業のエッセンスである「場」「人材育成(学び)」「活動機会(実践・挑戦)」を軸とした。

　また、子どもたちを中心とした多世代が主体となることを鑑みて①この場に集う1人ひとりが自分自身のニーズや人・社会・世界・未来と「つながる場」とすること、②この場に集う1人ひとりにとって「安心」「成長」「自己実現」の場となること、③常に新しい人材や知恵が外部から入り、場が活性化し続けることを目指した。

　参加の入り口を多くつくり、「場」に集う人々が、共に「学び」、新しいことに「実践・挑戦」できる機会を設けた。ダイナミックなプロセスをプラットフォームの軸として活動することで、支える者と支えられる者の固定化、エネルギーや資源の枯渇、活動の形骸化に陥ることのない運営を目

指している。

◆場

◇日常の"多世代の居場所"

　"多世代の居場所"は、誰もが訪れることのできる場を、月に10日ほど開所している。開所時間は平日14:00−16:30、土日11:00−16:30である注7。参加費は無料である。

　赤ちゃんや幼児を連れたお母さん、近くの学校に通う小中学生、近隣に住むお年寄り、スタッフなど、多様な人が集まっている。各自が自由に過ごしており、荷物を置いて近くのさくらんぼ公園で遊んだり、建物の中でカードゲームやお絵描きをする子ども、テスト勉強をしたりおしゃべりをする中学生、お茶を飲みながらくつろぐ大人、子どもの様子をやさしく見守るお年寄りもいる。居場所に集う人々の「これやりたい！」「こんな居場所にしたい！」ことを大事にし、会話のなかで次の活動のイメージを一緒に描きながら過ごしている。

　スタッフには大学生、大学教員、地域スタッフがおり、それぞれの持ち味を生かしながら運営にあたっている。各学校でのチラシ配布、フェイスブックでのスケジュール告知、掲示板への掲示、のぼりの設置により開所日を知らせ、平日は10−15名程度、土日は20−30名程度が利用している。

◇居場食堂

　"多世代の居場所"では、月1回、夕方からみんなで一緒に食事をつくり、夕食を共にするという場を設けている。参加費は500円程度である。小中学生、地域のお母さんと幼児、1人暮らしのお年寄り、大学生などが集い、みんなで賑やかに食卓を囲んでいる。

　"多世代の居場所"が開所した当時、土曜日、日曜日には、みんなでお弁当を広げてご飯を食べていた。あるとき小学校高学年の男子児童が、「味

噌汁をつくりたい」と家からワカメや油揚げを持参した。話を聞くと「家ではやらせてもらえない。」「本当は自分でつくってみたい。」という子どもが一定数いることが分かった。それから土日の昼ごはんとしてお味噌汁やスープ、後にはお昼ご飯を一緒につくることが定番となった。

　その後、夜ご飯が個食であったり、コンビニ弁当で済ませている子どもがいること、「もっと一緒に過ごしたい。」というニーズがあることが明らかになってきた。2018年度に、子どもが大好きで、食事づくりの腕にも定評のある男子大学生が「温かい、栄養の取れた豊かな食事をしてもらいたい」と発案し、こだわりぬいたメニューでリニューアルしたのが「居場食堂」の始まりである（写真7）。

◆学び

◇多世代共創塾

　多世代共創塾は1月に1回開催されているダイアローグ（対話）型のイベントである。様々なゲストによるレクチャーと、子どもからお年寄りまでの対話の2部構成であることが多く、立場を超えて、自分のこと、身の回りの人々のこと、地域の未来を語り合う場となっている（写真8）。

　多世代共創塾は参加者が自分自身のニーズや人・社会・世界とつながる

写真8
多世代共創塾の様子

ことを目指している。2018年度は世界とつながるダンス教室代表で2018
年のダボス会議にも招かれた中込孝規氏、世界的なアウトドアブランドの
モンベルで、そのデザインが起用されている動物のペーパークラフト作家
で「よそみっこ」代表の荻本央氏も講師を勤めた。また災害を乗り越え、
自ら学費を稼ぎ大学に進学、慶應義塾大学在学中に起業した学生や、大学
院卒業後に学習塾を立ち上げた若者など、子どもに近い年齢でありながら
目標となるような講師、コミュニティ研究に携わる大学教員などを招いて
開催した。

◇ゆがわらっこ大学

　ゆがわらっこ大学は、2018年度より子供の未来応援基金の助成を受け
て開始した学習支援プログラムである。平日は夕方に1つ、土日祝日は
昼食づくりと昼食を挟んで午前と午後に教室が開かれることが多い。平日
は無料、土日祝日は実費負担で開講している。ゆがわらっこ大学ならでは
の学びとして、多世代の参加者による「"違う"ことを前提とした対話」「持
ち味の発揮」「応援し合える関係の構築」「ロールモデルとの出会い」があ
る。ゆがわらっこ大学は、子どもたちに豊かな経験と学びの機会を提供す
ることを目指している。心の拠り所となる関係性、および、安心感があり、
ありのままの自分が受容される「居場所」で様々な活動行う。

写真9　提灯ペイント
ワークショップ

　初年度はスポーツ教室・英会話教室・アート教室・遊び教室・工作教室・実験教室・自然教室・音楽教室・レゴ教室など、豊富な種類の教室を開講した。各回において、学生スタッフや地域サポーターが学習コーディネーター・学習サポーターとして計画・運営に携わり、自らの経験やスキルを活かして学びの場を創っている。学校の教科に対応した学習支援も検討したが、自由に往来できる"多世代の居場所"においては、勉強よりもアクティブな活動や交流へのニーズが高いこと、交流を通して将来の目標やロールモデルとの出会いなど、学習のエネルギーが培われる様子が見られていることなどからそのようなカリキュラムとなった。

◆実践・挑戦

◇やって ME−BYO ラボ

　やって ME−BYO ラボは、地域の人が"多世代の居場所"でやってみたいことを形にする活動である。地域の「何かやってみたい」という人に、数人の学生スタッフがつき、イベント内容の決定、チラシの作成補助、当日運営のサポートを行う。2018 年度は、湯河原町内に住む染物作家による「提灯ペイントワークショップ」（写真 9）と湯河原町出身の女性によ

る「ママの座談会」の２つのイベントを開催した。やって ME−BYO ラボはまだ試行錯誤の段階にあり、運営方法は固まっていない。2019 年度は、何かをやってみたい個人や団体に、"多世代の居場所"のスペースを貸すなど、2018 年度とは異なるスタイルでの実践・挑戦の場を提供した。

写真 10　納涼祭

写真 11　ゆがわら Halloween2018

◇地域イベント

　多くの住民と交流し、"多世代の居場所"やスタッフの存在を知ってもらうため、地域住民主催の様々なイベントに参加している。2018年度は湯河原町中央区の納涼祭（写真10）、湯河原町商工会内ゆがわらHalloween実行委員会主催の「ゆがわらHalloween2018」（写真11）や、湯河原駅前通りの明店街主催の「ぶらん市」、子育てママによる手づくり市「ふわはあとmarket」「湯河原・真鶴アート散歩」に参加した。地域イベント参加の際には、子どもスタッフを募集し、大学生と一緒に店を企画・運営する。子どもが何かを成し遂げ、達成感を得る機会となっている。

5　事業モデルの特徴 —— 大学、町との連携、運営資金

　次に様々な活動を支える体制についても言及したい。

◆大学との連携

　事業モデルの特徴の一つ目は大学との連携である。

　研究事業の一環として開設された"多世代の居場所"には様々な研究者が参画してきた。研究プロジェクトの代表は慶應義塾大学環境情報学部教授（当時）の渡辺賢治氏（専門：漢方医学）、プロジェクトのリーダーは慶應義塾大学総合政策学部教授の飯盛義徳氏（専門：プラットフォーム・デザイン、地域イノベーション）であった。そして"多世代の居場所"づくりを担当したのは、研究期間終了後も運営を担う、慶應義塾大学政策・メディア研究科特任助教の山田貴子（社会起業家）と東京都市大学都市生活学部准教授の坂倉杏介（専門：コミュニティ・マネジメント）、慶應義塾大学政策・メディア研究科特任講師の伴英美子（専門：産業組織心理学）である。

大学との連携による強みの一つは大学や大学教員のもつノウハウや広い
ネットワークである。先に、構想段階で港区の「芝の家」を訪ねたエピソ
ードを紹介したが、"多世代の居場所"が開所した後にも、全てのスタッ
フが芝の家に赴き、On the Job Trainig 形式の研修を受け、そこで学んだ
ことをレポートにまとめて"多世代の居場所"の運営に活かした。坂倉氏
のもつ、地域の居場所づくりのノウハウや地域を越えたインターローカル
な連携は、"多世代の居場所"の運営に多くのヒントをもたらしている。
また、オンライン英会話事業を通してフィリピンの若者の夢と自立の実現
に取り組んできた山田のネットワークを活かして、フィリピン人講師によ
る英会話教室を開催したり、世界的に活躍する人材を講師として招聘する
ことができた。山田がフィリピンの若者を育成するなかで培ってきた安心
できる場づくりのファシリテーションのノウハウも"多世代の居場所"に
活かされている。

　大学教員が"多世代の居場所"において講師を勤めることもある。
2017 年には飯盛氏が幼児からお年寄りまでが集う場で最先端のコミュニ
ティ研究の報告を行った。このように大学とのつながりは"多世代の居場
所"に集う人々が世界とつながる機会を創出している。

　もう一つは教員の研究室に在籍する学生らがプロジェクト運営に関わっ
ていることだ。学生らは大学にて、各々の興味関心に沿って学び、"多世
代の居場所"で起きる事象を説明する理論や、社会的背景、先行事例の知
見をアップデートしながら、活動に携わることができる。また多くの場合、
所属する研究室の活動のなかで、他地域の事例に実際に触れ、プロジェク
トの目標やプロセスについての豊かなイメージを持っている。

　「このように運営したらもっと活性化するのではないか」等の問題意識
や仮説を持ち、"多世代の居場所"で試し、小さな成功と失敗を繰り返し
ながら、自らの研究にもつなげている。個人個人が PDCA をまわしなが
ら日々の運営にあたることができるのである。この事が"多世代の居場所"
の活動が常に改善されることにつながっている。

◆湯河原町役場との連携

　事業モデルの特徴の二つ目は湯河原町との連携である。湯河原町との連携は、湯河原町が慶應義塾大学SFC研究所による研究事業を後援するという形で2014年11月に始まった。子どもが対象に含まれる事業において、地域の人々から信用・信頼を得られるかということは死活問題である。本事業は湯河原町のお墨付きがあったからこそ、展開できたと考える。

　"多世代の居場所"は、地域政策課、社会教育課、学校教育課、こども支援課、観光課など様々な部署と連携している。"多世代の居場所"の開所や記念イベントには町長、教育長をはじめ担当部署の参事・課長クラスが出席している。また、年に1回ほど、"多世代の居場所"の活動を役場や町の校長会で報告する機会がある。

　日々の運営では、"多世代の居場所"のスケジュールを校長会の承認を得て、教育委員会を介し、小中学校で全戸配布してもらっている。

　またリスク管理での連携もある。食物アレルギー対策として、匿名でアレルゲンとなる食物を共有している。最近では、近隣で怪我をした子どもが"多世代の居場所"を頼り訪れることがあるため、緊急時には役場と連携する体制をとっている。

　多様な事情を抱える子どもたちの支援も連携して行っている。2017年度中、試験的に「居場食堂」や「寺子屋」を有料で開催した。すると様々な事情から料金を支払えず、活動に参加できない子どもが出てきた。「誰もが安心できる居場所」という設立の趣旨から誰もが豊かな経験を得られる環境をつくることが重要であると考えた。町からの助言を受けて、子供の未来応援基金に応募。2018年度・2019年度はその支援金によって学習支援事業を行っている。2018年の夏には、湯河原町こども支援課より1人親家庭に手紙を出し、申請があった場合には"多世代の居場所"の様々な活動について、支払いを免除する制度を導入した。

　2019年3月には「湯河原の子ども達の未来を描く〜多世代交流による

若者の人口減少抑制にむけて」というテーマで町内の教育や子育て支援事業の従事者が"多世代の居場所"で一堂に会し、今後の連携について話し合った。

　同月に湯河原町教育センターにて「未来につながる　若者×子育てのまちづくり～多世代交流による若者の人口減少抑制にむけて」というテーマで、人口減少抑制事業に取り組む他の事例に学ぶ意見交換会を開催。徳島県神山町や長野県小布施町、学習支援事業に取り組む東京都足立区のアダチベースから関係者を招き、島根県隠岐郡海士町には調査者を派遣し、役場の担当者と共に学ぶ機会を設けた。

　湯河原町は 2019 年度から「子育て環境の魅力化」を地方創生戦略の柱の一つに位置づけた。"多世代の居場所"は、その一翼を担っている。

◆運営資金

　"多世代の居場所"の運営資金は、研究事業として実施された第 1 フェーズ（2016 年 11 月～ 2018 年 3 月）と、研究期間が終わり、子供の未来応援基金からの支援金を主な運営資金とした第 2 フェーズ（2018 年 4 月～ 2019 年 4 月）、子供の未来応援基金と自主事業のハイブリッドを目指す第 3 フェーズ（2019 年 4 月以降）と変化してきた。

　第 1 フェーズでは、居場所づくりの新たなモデル提示と、その効果検証に重きが置かれた。運営資金としては JST-RISTEX からの研究費が全てであり、慶應義塾大学 SFC 研究所が運営を担った。学生スタッフはボランティアで、研究費より交通費を支給した。

　第 2 フェーズでは、子供の未来応援基金より「生活困窮世帯の子どもの学習支援・居場所創出事業」について支援金を受けて運営費とした。2018 年 4 月に「ゆがわらっこ大学」を開校し、様々な教室をスタートさせた。土日の教室は有料クラスとした。スタッフはボランティアであるが学習支援事業の活動を行った場合のみ支援金より交通費が支給され、計画

運営を行う学習コーディネーターには給与が支給されている。

　2018 年 10 月、委託事業や自主事業を展開するために、運営団体として一般社団法人ユガラボを設立し、大学教員の山田が代表理事、坂倉と伴が理事となった。

　第 3 フェーズの 2019 年度は子供の未来応援基金より「地域の子どもの学習支援・居場所創出モデル構築事業」について採択され、支援金を受けた。しかし学習支援事業に直接関わらない運営の部分はボランティアにより支えられている。今後は自主事業を充実させ、安定的な財政基盤を築くことが課題である^{注8}。

6　活動実績と効果

◆開催回数、来所者数

　ここで、2018 年度までの活動実績を振り返る。

　"多世代の居場所" の延べ来所者数は、2016 年度 680 人、2017 年度 1716 人、2018 年度 2359 人と推移している。2016 年 11 月 13 日の開設日から 2019 年 3 月末日までの総数は約 4755 人である。2018 年度の世代別の内訳は子ども（18 歳以下）が 55 %、大人が 13 %、高齢者（65 歳以上）が 5 %、スタッフが 27 % であった（図 3）。

　次に 2018 年度の活動実績を見てみる。表 2 は活動を「場」「学び」「実践・挑戦」のカテゴリーごとにまとめたものである。まず、「場」の活動では、居場所の開所が 134 回、多世代で食事づくりと食事を楽しむ "居場食堂" が 7 回開催された。次に「学び」の活動では、多世代が共に学ぶ "多世代共創塾" が 11 回、学習支援事業の "ゆがわらっこ大学" が 129 回開催された。最後に「実践・挑戦」の活動では、「やって ME－BYO ラボ」が 2 回、「地域イベント」と「居場所イベント」は各々 6 回開催された（表 2）。

来場者数は年々増加しており、徐々に地域に定着して来ていると考える。

一方で、来場者の世代別内訳をみると大人、お年寄りの来場者がまだまだ少ない。また活動ごとの開催回数では「場」と「学び」カテゴリーの活動は数多く開催されたのに比較して「実践・挑戦」カテゴリーの活動は数回にとどまった。

本プロジェクトは、対象としては子どもを中心として、そして3つの活動の軸のなかでは、場所づくり、次いで学びの場づくりと、試行錯誤しながら段階的に進めてきた。その意味で、この結果は想定内であると考える。おとな世代・高齢者世代にとっての魅力づくりや、「実践・挑戦」の場づくりが、課題である。

◆ "多世代の居場所"への参加と自己肯定感・自己効力感

ここからは "多世代の居場所"への参加が人々に、及ぼす影響に目を転じる。1960年代ごろより、世代間交流プログラムは高齢者の生きがいやうつ、主観的健康観、自己肯定感等の健康指標に有意に関連するとの報

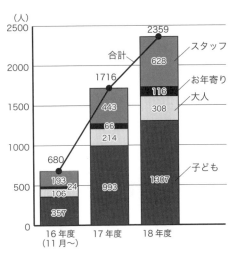

図3 来所人数

表2 2018年度活動実績

		回数
場	居場所	134
	居場食堂	7
学	多世代共創塾	11
	学習支援	129
実践	やって ME–BYO ラボ	2
	居場所イベント	6
	地域イベント	6

告[文8-10]や次世代の再生・育成への関心の高さが、神経痛の軽減や心の健康の良好さにつながるとの報告[文11]がされている。最近では、根本ら[文12]が、若年層と高年層において世代内交流ならびに世代間交流が良好な精神的健康と関連し、両世代と交流している者はさらに精神的健康が良好であることを報告した。筆者の研究グループでも、20代〜70代の湯河原町民において世代を超えた斜めの関係（斜交関係）と同世代との関係がいずれも豊かな者の方が、同世代との関係のみが豊かな者よりも生きがいを感じていることを報告した[文13]。子ども世代においては、世代間交流プログラムの効果として、高齢者や老いに対する認知がプログラム前に比較して向上したという報告や[文10]、個人・社会的スキルの向上[文14]、受容感、自己肯定感、社会化、知的発達の強化[文15]などの報告がある。しかし子ども世代についての研究は非常に少ない。

　"多世代の居場所"は「斜めの関係」を活動のコンセプトとしている。また多世代との豊かな関係が子どもたちの自己肯定感・自己効力感を育むと考えてきた。そこで小中学生を対象として、"多世代の居場所"への参加が多世代との交流や自己肯定感・自己効力感に及ぼす影響を検証することを目的として研究を行った[文16]。

　調査対象は湯河原町内の小学校（3校）中学校（1校）に通う小学4年生〜中学3年生である。

　調査方法は自記式質問紙調査とし、2017年10月に実施した。配布数は979、有効回答数は857（小学生416、中学生441、男400、女371）、有効回答率は87.5％であった。有効回答を、"多世代の居場所"参加者84名と不参加者773名の2群に分け、一元配置の分散分析により比較した。

　まず、同世代や斜めの世代との交流の有無を、多世代関係尺度[文13]を用いて、尋ねたところ、斜めの世代と「共通の楽しみがある」「本音で話せる」「ありのままの自分を受け入れてくれる」「相談する」と回答した割合は、参加者のほうが高いことが示された。一方で、同世代が「気にかけてくれる，」「助けてくれる」と回答した割合は"多世代の居場所"参加者のほう

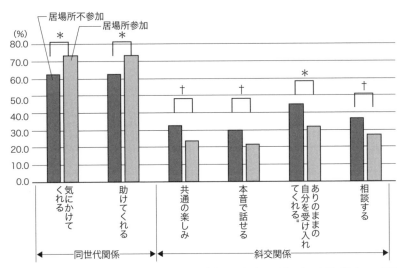

図4 “多世代の居場所”参加者と不参加者の多世代関係（項目別による交流「あり」の割合の比較）

注：有意水準†p＜.10　＊p＜.05　＊＊p＜.01

が低かった（図4）。

　一般的に多世代が一同に会しても必ずしも「本音で話せる」関係になるとは限らない、ということを踏まえると、本研究で“多世代の居場所”の参加者の方が斜めの世代との交流が豊かであり、「本音で話せる」「ありのままの自分を受け入れてくれる」相手がいると回答していることは、現在の“多世代の居場所”がそのような関係を育む場となっている可能性を示唆している。一方で、参加者のほうが、同世代との交流が少ないことも特徴的である。“多世代の居場所”の参加者には、子どもよりも大人と接することを好む子どもや、学校や部活・習い事・塾に行っていない子どももいる。“多世代の居場所”が同世代との関係のなかでは十分に得られない“つながり”を補完している可能性が示唆された。

　次に参加者と不参加者のレジリエンス（精神的回復力）・自己効力感・自己肯定感を比較したところ、レジリエンスでは有意な差がなかったものの、“多世代の居場所”参加者の方が自己肯定感では4項目中4項目、自

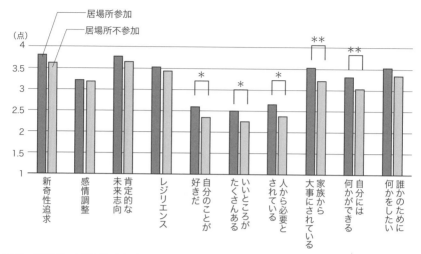

図5　"多世代の居場所"参加者と不参加者のレジリエンス、自己肯定感・自己効力感の比較
注：有意水準† p＜.10　＊p＜.05　＊＊p＜.01
レジリエンス：「新奇性追求」「感情調整」「肯定的な未来志向」の平均

己効力感では2項目中1項目で有意に高かった（図5）。

　良好な心理状態の子どもが"多世代の居場所"に参加しているという可能性もある。しかし、"多世代の居場所"には元気な子どもだけでなく、様々な事情から生きづらさを訴える子どもも来所している。このことを踏まえると、「"多世代の居場所"に参加することで前向きな心理状態が生まれる」という現象は少なからず起きていると推測する[注9]。

◆　"多世代の居場所"が子どもに与える影響

　次に"多世代の居場所"の学生スタッフであった山崎氏による質的研究を紹介する[文17]。則定[文18]の研究によると小・中・高校生が思う自分の『居場所』には、「被受容感」「精神的安定」「行動の自由」「思考・内省」「自己肯定感」「他者からの自由」という6つの心理的機能があるという。山崎氏は、居場所に関わる大人11名と子ども4名へのヒアリングと日報の記録を元に、"多世代の居場所"がそのような機能を果たしているか検証

表3 "多世代の居場所"：A君の事例

> 　初めて"多世代の居場所"に来た頃は、外からは覗くだけで、建物の中には入れ
> なかった。数か月してやっと中に入ったが、すぐに帰りたがる様子を見せた。そん
> なA君にスタッフは関心を示し、ありのまま受け入れようとした。A君は、常に母
> 親の側におり、何もせずにじっとしていたが、次第に自分がこの場所に受け入れら
> れていると感じたのか1人で好きなことをして遊ぶようになった。その後、カード
> ゲーム仲間募集と描いたポスターを自らつくり他の子どもたちとも交流を図るよう
> になった。

した。するといずれの機能においても、該当するエピソードがあり、"多
世代の居場所"が心理的な居場所としての機能を果たしている可能性が示
された（表3）。

◆ "多世代の居場所"が大学生に与える影響

　次に、やはり学生スタッフによる二つの研究を紹介する。

　津守氏[文19] の研究の目的は"多世代の居場所"への関わりが大学生に及
ぼす影響を明らかにすることである。"多世代の居場所"の学生スタッフ
として活動している大学生15名を対象とし「多様な人々との交流によっ
て実感される変化」についてインタビュー調査を行ない、M－GTA法を
用いて、どのような時に変化や成長が起こったのかを明らかにした。
177のキーワードから48概念が抽出され、12カテゴリーにまとめられた。
"多世代の居場所"の効果としては、

　「成長のきっかけ（他人に対する興味、積極的に参加する姿勢、固定概
　　念を覆す出会い、相手への気持ちの配慮）」

　「"多世代の居場所"から受けた影響（将来の自分が変わった、交友関係
　　が生まれた、ものづくりの楽しさを学んだ、子どもに対する苦手意識が
　　なくなった）」

　「成長の実感（主体的になった、協調性が生まれた、責任感が生まれた、

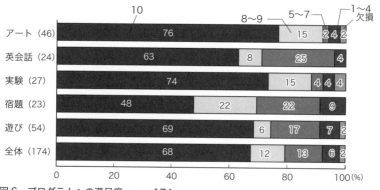

図6　プログラムへの満足度　n＝174

注：今日のプログラムは楽しかったですか？

居場所が出来上がる感動、物事を客観的に見られるようになった、イベントや会議を行った）」

「居場所とは（ありのままでいられる場所＋（自分自身を偽りなく過ごせる環境）、ありのままでいられる場所−（まだ自分自身を偽りなく過ごせない環境）、第2の家、新たな経験が生まれる場所、新たな力が生まれる場所、地域に根付いている場所）」

が抽出された。活動開始後は主体性や協調性の向上を実感していた。大学生にとって、"多世代の居場所"に関わることは、小学生からお年寄りまでの多世代とのネットワークを形成し、新しい視座を獲得し、成長する契機になっていた。

高橋氏[文20] は、学習支援がスタートした2018年度の学生8人の成長を、2017年度の学生を対象とした津守の研究と比較し、その成長プロセスが共通していることを見出した。学習支援を通しての成長の3本柱として

「仲間と協力して取り組む」

「学習支援の理想像を持つ」

「コーディネーターとしての自覚が芽生える」

を挙げ、"多世代の居場所"では「考えるだけで終わることなく実践できることが成長を促進させている」と考察した。

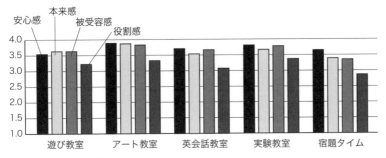

図7　心理的居場所感

注：安心感：安心して過ごすことができましたか。本来感：自分らしく過ごすことができましたか。被受容感：みんなと仲良くできましたか。役割感：仲間の役に立つことができましたか。

◆ゆがわらっこ大学の利用者満足

　最後に「ゆがわらっこ大学」に参加した小学生〜中学生の満足度調査の結果を示す。この調査も前述の高橋氏の卒業論文[20]の一環として実施された。調査では満足度を10段階評価でたずねた。また、ある場を「居場所」であると感じる程度を測定する「心理的居場所感尺度[18]」を参考に高橋氏が作成した、安心感・本来感・被受容感・役割感についての4項目を「1：できなかった、2：あまりできなかった、3：まあまあできた、4：できた」の4段階評価でたずねた。その結果、いずれのプログラムにおいてもプログラムへの満足度が高く（図6）、心理的居場所感を得ていることが示された（図7）。多世代での学びを活かしたプログラムが一定の評価を得ていることが確認できた。

　以上より、現在の"多世代の居場所"が子どもにとって心理的な居場所となっていることや、運営に関わる大学生にとって豊かな成長の場となっていることが示された。

7　評価と展望

　研究プロジェクトとしての“多世代の居場所”は、①子ども世代を中心とした参加型の活動であること、②多世代交流型であること、③プラットフォームであることを特徴としている。最後に、これらの観点から“多世代の居場所”プロジェクトの意義を評価したいと思う。

◆ “多世代の居場所”プロジェクトの評価

◇子ども世代を中心とした参加型の活動の評価

　地域には古くから続く様々な利害関係や役割関係が存在する。既存の関係性を超えて共創関係を築くことは容易ではない。我々は、「多世代が共創する居場所をつくるには、多世代の共創によってその居場所自体をつくることが効果的である」という仮説を立て、開設に向けたプロセスを参加型にした。その結果、子どもたちの願いを実現するために、多様な主体が集い、立場を超えて力を発揮しあうなかで、“多世代の居場所”を開設することができた。

　空間づくりのプロセスで取り入れた、参加型ワークショップと放課後リノベーションによる居場所づくりは、他の地域にも転用可能な居場所づくりの方法論であるといえる。特に、居場所づくりをオープンな DIY として進める手法は、多様な世代が参加でき、当事者を増やしていくモデルとして有効であると考えられる。

◇多世代交流型の評価

　“多世代の居場所”では、多世代の人々が暖かい「斜めの関係」を育み、安心して「ありのまま」に過ごすことができる場づくりを目指し、共感的コミュニケーションの実践、チェックイン・チェックアウトの導入、多世

代交流を促進するプログラムの設計など、様々な工夫を凝らして場づくりを行ってきた。その結果、子どもと大学生、大学生と高齢者、子どもと高齢者、大学生と大人、など様々な世代の間に交流を生み出すことができた。

また調査により"多世代の居場所"が子どもたちの他の世代との「斜めの関係」を築き、自己肯定感や自己効力感を育む可能性や、心理的な居場所となりうること、子どもだけでなく"多世代の居場所"を運営する大学生スタッフにとっても成長の場となっている可能性が示された。本プロジェクトで試行した場づくりの取り組みは一定の成果をあげたと考える。

◇**プラットフォームの評価** —— 多様な子どもたちの支援

活動を通じて"多世代の居場所"には学校や普段の生活のなかで生きにくさを感じている子どもたちが、生き生きとした自分らしさを取り戻す場所という役割があることが明らかになった。"多世代の居場所"の、ありのままの自分でいられるという雰囲気のなか、画一的な仕組みのなかで不自由を感じている特別支援学級の子どもや不登校児、様々な事情抱えた家庭の子どもたちも、"多世代の居場所"に集う人々に自然に交わり伸び伸びと過ごしている。

また、子どもの発案で始まった食事づくりが居場食堂となり、宿題をやる寺子屋が学習支援事業につながり、町との連携により、支援を必要とする場合はこれらを無償で受けられる仕組みにまで発展した。多様な人々が集い、その人々のニーズに対して社会的創発[注10]が生じ、"多世代の居場所"に新たな価値や役割がもたらされてきた。本プロジェクトのプラットフォームは未だ完成したものではないが、プラットフォームとしての機能を果たしつつあると考える。

◆**今後の展望** —— 未完の場として

2017年11月。1周年記念イベントに向けて、「ゆがわらっことつくる

多世代の居場所」の略称が決められた。それらの案のなかで、正式名称に含まれる「ゆがわらっこ」や「居場所」に並んで人気があったのは「みかんの家」や「MECANVAS（ミキャンバス）」であった。いずれも、湯河原町の特産品の「みかん」、「み・ME（私）」、これから創りあげることをイメージした「未完」や「キャンバス」という意味がこめられていた。最終的には「居場所」が選ばれたが、この選考プロセスは「居場所」が「未完」であることの意義を考えさせるものとなった。

　"多世代の居場所"は毎年、運営に関わる学生も、そこを訪れる子どもたちも大きく入れ替わることを特徴の一つとしており、そのニーズに合わせて運営形態も変化してきている。その意味で"多世代の居場所"のあり様は常に「未完」である。また"多世代の居場所"は「未完」であるからこそ、常に人々が思わず力を貸したくなる「ウィークポイント≒余白」があり、新しい参加者が自由な発想で活動するスペースがあると考える。

　本稿は、2019年3月時点の"多世代の居場所"の特徴を記してきた。しかし、それはその時点のものでしかない。私たちが創り出そうとしているのは完成された場ではなく、そこに集う人々が安心でき、その人らしい持ち味を発揮でき、互いに応援しあえる関係性のなかで育まれる、心身の健康であり、創造的なエネルギーである。

　"多世代の居場所"を利用した子どもが大学生や地域スタッフとして戻ってきたり、"多世代の居場所"で学んだ人が運営の担い手になったり、"多世代の居場所"で挑戦的な経験を積んだ人が世界に羽ばたいていったり、"多世代の居場所"での出会いが地域を活性化していく、というような出来事を、目標達成のメルクマークとしながら、今後もダイナミックなプラットフォームを創っていきたい。

注

1. 本稿は2019年3月に執筆された"ゆがわらっことつくる多世代の居場所"の創成期（2015年〜2019年）の記録を元にしている。2020年の新型コロナウィルスの感染拡大は"多世代の居場所"にも大きな影響を及ぼした。多くの活動が制限され、できなくなってしまった

取り組みもある一方で、日々の活動はオンラインとオフラインのハイブリッド型へと移行し、経済的困窮家庭へのサポートなどの新しい取り組みも始まった。その大きな変化についての報告は、またの機会に譲りたい。

2. ゆがわらっことつくる多世代の居場所は"居場所"や"ゆがわらっこ"と呼ばれている。
3. 1 階 33.78 m²、2 階 33.78 m²
4. 研究代表者：慶應義塾大学環境情報学部教授（プロジェクト実施時）　渡辺賢治
5. プロジェクトは「多世代が協働し、住民が生涯にわたって「未病対策」に取り組むまちづくりプラットフォームを神奈川県の県西地域をフィールドとして開発し、未病に取り組む多世代コミュニティを全国展開すること」を中・長期的目標として掲げた。同研究開発領域では本プロジェクトを含め 16 のプロジェクトが採択された。
6. 2017 年中の人口動態を見ると[注21]、自然増減では年間出生者数（81 人）に対して、死亡者数（408 人）が 5 倍近くに上り、人口減少が進んでいる。社会増減では年間転入者数（1168 人）が転出者数（1069 人）を上回っている。しかし、年代別にみると 0 ～ 14 歳と 25 ～ 49 歳では転入者と転出者の差が 3 人未満とほぼ差がないのに対し、高校生・大学生世代にあたる 15 ～ 24 歳では転出者数が転入者数を 53 人上回り、50 歳以上では転入者数が転出者数を 148 人上回る、というように、若い世代が転出し、シニア世代が転入する傾向がみられた。
7. 2019 年度以降は開所日毎に設定されている。
8. 2019 年度、2020 年度は、湯河原町より「多世代交流による若者の人口減少抑制事業」の委託を受けた。
9. 2016 年度に内閣府が行った「子供・若者の意識に関する調査」[注22] によると、居場所であると感じている場の数が多い若者ほど、生活についての充実感が高く、生活の自立や社会への貢献、対人関係等について前向きな将来像を描く傾向の回答割合が高くなっていた。"多世代の居場所"に参加することと前向きな心理的状態が正の相関関係にあるという今回の結果は先行研究とも整合的であった。
10. 「社会的創発」とは当初は予期もしなかったような新しい活動や価値が次々と生まれることを指す。

引用文献

1. 厚生労働省「我が事・丸ごと」地域共生社会実現本部（2017）『「地域共生社会」の実現に向けて（当面の改革工程）』
   https://www.mhlw.go.jp/file/04-Houdouhappyou-12601000-Seisakutoukatsukan-Sanjikanshitsu_Shakaihoshoutantou/0000150632.pdf（2019.3.31）
2. 神奈川県湯河原町（2018）「平成 30 年版湯河原町統計要覧」
   https://www.town.yugawara.kanagawa.jp/global-image/units/87321/1-20180501105849.pdf（2020.3.30）
3. 神奈川県湯河原町（2016）「湯河原町まち・ひと・しごと創生　総合戦略プラン　平成 27 年度～平成 31 年度（平成 28 年度改訂）」https://www.town.yugawara.kanagawa.jp/global-image/units/80908 ／ 1-20170315162514.pdf（2020.3.30）
4. 神奈川県（2019）「神奈川県年齢別人口統計調査結果　年齢 3 区分別人口」（エクセル：22KB）
   http://www.pref.kanagawa.jp/docs/x6z/tc30/jinko/nenreibetu.html（2020.3.30）
5. 谷口真美（2005）『ダイバシティ・マネジメント　多様性をいかす組織』白桃書房（東京）
6. 飯盛義徳（2015）『地域づくりのプラットフォーム—つながりをつくり、創発をうむ仕組み

づくり』学芸出版社（京都）

7. 坂倉杏介（2017）「ご近所イノベーション学校」のプラットフォームデザイン ─ 地方創生に向けたこれからの都心型コミュニティのありかた」SFC JOURNAL、16（2）、pp. 44–71

8. Murayama Yoh, Ohba Hiromi, Yasunaga Masashi et al. (2015), The effect of intergenerational programs on the mental health of elderly adults. *Aging & Mental Health*, 19 (4), pp. 306–314

9. Yasunaga M., Murayama Y., Takahashi T. et al. (2016), Multiple impacts of an intergenerational program in Japan: Evidence from the Research on Productivity through Intergenerational Sympathy Project. *Geriatr Gerontol Int*, 16 Suppl 1 pp. 98–109

10. Gualano Maria Rosaria, Voglino Gianluca, Bert Fabrizio et al. (2018), The impact of intergenerational programs on children and older adults: a review. *International Psychogeriatrics*, 30 (4), pp. 451–468

11. 藤原佳典、大場宏美、小宇佐陽子（2008）「世代間交流型ヘルスプロモーションREPRINTS-1　次世代継承・育成感と高齢者の健康」『日本公衆衛生雑誌』　第 67 回日本公衆衛生学会総会抄録集、p. 310

12. 根本裕太、倉岡正高、野中久美子、田中元基、村山幸子、松永博子、安永正史、小林江里香、村山洋史、渡辺修一郎、稲葉陽二、藤原佳典（2018）「若年層と高年層における世代内／世代間交流と精神的健康状態との関連」『日本公衆衛生雑誌』65（12）、pp. 719–729

13. 伴英美子、井上真智子、渡辺賢治（2016）「多世代関係と生きがいの関連についての研究 –湯河原町住民調査より—」『第 7 回日本プライマリ・ケア連合学会学術大会　プログラム・抄録集』p. 363

14. Vicki Rosebrook (2002), Intergenerational connections enhance the personal / social development of young children, *International Journal of Early Childhood*, 34, p. 30.

15. Holmes Christine L. (2009), An Intergenerational Program with Benefits, *Early Childhood Education Journal*, 37 (2), pp. 113–119

16. 伴英美子、井上真智子、渡辺賢治（2019）「多世代関係が小学生・中学生の自己肯定感と自己効力感に及ぼす影響」『日本衛生学会雑誌』、第 74 巻第 89 回学術総会講演集号、S140

17. 山崎舞子（2018）「第三の居場所が子どもに与える効果〜「ゆがわらっことつくる多世代の居場所」を事例に」東京都市大学、2017 年度卒業論文

18. 則定百合子（2008）「青年期における心理的居場所感の発達的変化、カウンセリング研究」41（1）、pp. 64–72

19. 津守風吾（2018）「子どもと大学生の交流が育む「社会力」向上研究〜神奈川県湯河原町の多世代居場所づくり事例から」東京都市大学、2017 年度卒業論文

20. 髙橋茉佑子（2019）「居場所における学習支援を通じた子どもと大学生の学び〜神奈川県湯河原町の居場所を事例に」東京都市大学、2018 年度卒業論文

21. 神奈川県（2019）「神奈川県年齢別人口統計調査結果　【第 2 表】年齢（各歳・5 歳階級）別異動人口（神奈川県、地域、市区町村）葉山町から清川村（エクセル：257KB）湯河原町平成 29 年中」http://www.pref.kanagawa.jp/docs/x6z/tc30/jinko/nenreibetu–kakodata.html (2020.3.30)

22. 内閣府政策統括官（共生社会政策担当）（2019）「子供・若者の意識に関する調査　平成 28年度報告書」https://www8.cao.go.jp/youth/kenkyu/ishiki/h28/pdf–index.html (2020.3.30)

4章 ふるさと絵屏風で生みだす心の居場所

上田洋平

　一人ひとりの五感体験をもとに地域の暮らしを1枚の絵として表現する「ふるさと絵屏風」は、それをつくる過程で多世代共創の「斜交場」を生みだし、それをつかうことで地域への誇りを呼び覚まし、やがてそれ自体が人びとの「心の居場所」になっていく。「過去をそだてて未来をつくる」場づくり、そして地域づくりの一端を、「ふるさと絵屏風」を「つくって、つかって、そだてる」手順とともに紹介する。

1 ふるさと絵屏風とは

◆ある語り部の死

2019年（平成31年）2月、ある集落の、一人の語り部が亡くなった。長夫さん。享年80歳。

「勉強もしないで悪いことばっかりしていたしなあ」というおきまりの前置きに続いて身ぶり手ぶりを交えて生き生きと語られる体験談や思い出話は、それを聞く人びとにも当時のようすをありありと想像させ、仲間とつるんでのあれやこれやのいたずら話や失敗談で皆の笑いを誘ったかと思うと、生きることや暮らすことについての洞察に満ちた、ハッとさせられるようなひと言を発する。聞く人を引きこむ話しぶりは落語家も顔負け。誰もが認める名語り部であった。

その長夫さんが亡くなった。地域の歴史と文化を活かしたまちづくりへの機運が高まり、その舞台が整い、いよいよこれから活躍してもらおうと誰もが考えていた矢先のことだった。

長夫さんが亡くなってから3週間ほどたったある日、長夫さんのおさななじみである栄一さんのもとに、長夫さんの妻から1本の電話が入った。

「亡くなった主人の布団やベッドの整理をしていたら、くしゃくしゃになった紙きれや薬袋がたくさん出てきました。その紙きれや薬袋の裏に、走り書きでこんなことが書いてあったんです」と。

そこには次のようなことが書かれていたという。

「わしみたいに勉強もできひんもんが、最後の最後に「絵」を描いた。栄ちゃんや善ちゃんとしゃべりながら描いた。そしてみんなの前で「絵」に描いたことをしゃべりもした。ほんまに楽しかった。幸せな時間やった」。

別の紙片には「これからも頑張りたい」と書かれていた。しかしまた別の紙片には「自分がいなくなったらみんなにありがとうと礼を言って欲し

い」と書かれていた。

長夫さんの妻は涙ながらに、紙きれに書かれていたことを一つ一つ読み上げてくれたそうだ。

そして、「栄一さんが病室に持ってきてくれた「絵」の下書きに色を塗ったりしていましたが、体力がなくなってきてそれもできなくなった時に「もうあかん」と悔しがってわんわん泣いていました。みんなと一緒にできないことを、残念がっていました」と、入院中のようすについても話してくれたのだという[注1]。

この話を聞かされたとき、誰もが長夫さんの無念を思い、あらためて涙しないわけにはいかなかった。と同時に長夫さんにとってあの「絵」が長夫さんの最晩年をこんなに幸せなものとし、また、はげましていたのだということを知った。

「学校では立たされてばっかりで、鉛筆なんて持ったこともない」という長夫さんが最晩年になって、おさななじみや地域の人たちと一緒になってそれを描くことに熱中し、それについてしゃべり、そうすることで長夫さんの最後の時間を楽しい、幸せなものにした「絵」。

それに向き合うことが、つらい闘病生活を耐えるうえでの大きな支えにもなっていた「絵」。

長夫さんのいなくなった今、それでも長夫さんがそのなかに生きつづけ、そのなかで長夫さんと出会うことができる「絵」。

その「絵」というのが、これから紹介する「ふるさと絵屏風」である (図1)。

◆ふるさと絵屏風

「ふるさと絵屏風」とは、ある地域の風土と暮らしのようすを描いた生活ものがたり絵図である。

多くが屏風に仕立てられるので「ふるさと絵屏風」と呼んでいる。そこに生きる人びとの心のなかにあるふるさとのすがた、つまり人びとの心象

図1　山中ふるさと絵屏風（甲賀市土山町）

六つの字からなる山内地区では、2016年から2018年にかけて順次ふるさと絵屏風が制作された
（制作：山内エコクラブ、2017年）

146

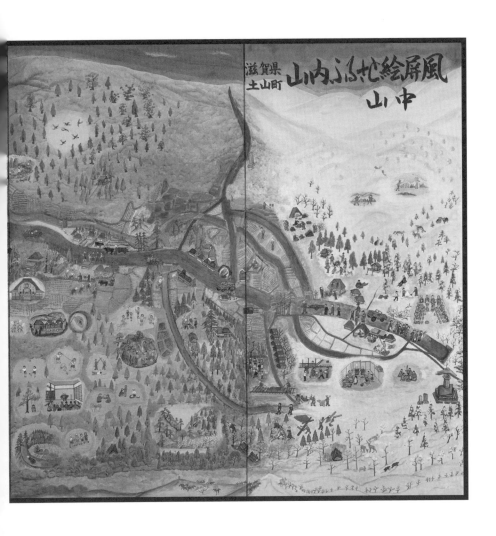

滋賀県
土山町 山内ふふだ絵屏風
山中

風景を描いたものなので「心象絵図」と呼ぶこともある。また、ふるさとでの記憶や思い出を集め、それを絵にしたものなので「風景の記憶絵」と呼ばれることもある。

　ふるさとの山や川、田や畑、そのなかで展開する春夏秋冬の農作業をはじめとするなりわいのようす、家並み、学校や商店、駅や工場からなるまちのすがた、神社や寺、そこで行われる祭礼行事。行き交う人びと、あそぶ子どもたち、草木虫魚、獣たち…。

　「ふるさと絵屏風」にはそれらが描かれている。

　大きな画面いっぱいに、日々のいとなみを物語る大小さまざまな場面、そこであったこと、人びとが体験したこと、地域の記憶と思い出がちりばめられている（図2）。

◆百聞を一見にした「絵画ドラマ」

　ふるさと絵屏風は、たくさんの人びとの思い出を集め、話を聞いたうえで最終的に1枚の絵として描き上げる。つまり「百聞を一見にした絵図」である。

　ときには伝説の1コマやその土地の英雄のすがたも描かれる。しかしあくまで主題は「そこでふつうに生きた人びとの、日々の、当たり前の暮らし」のようすであり、主人公はほかでもないその土地に生きる人びと自身、その人びとの父母やそのまた父母である。ふるさと絵屏風は「一人の英雄の生涯を描く"大河ドラマ"」ではなくて「おおくの庶民の生活を描く"絵画ドラマ"」である。

　絵に描く範囲は集落単位のこともあれば小学校・中学校区くらいのこともある。

　いつ頃のようすを描くかというと、だいたい戦中から昭和30年代頃までのようすを描く。絵屏風づくりの主役となる後期高齢者世代がなつかしがって盛んに話してくれるのがその頃の話であることが多いということも

図2　山中ふるさと絵屏風（部分）
地域の暮らしやなりわいのようすが素
朴な筆致で画面に散りばめられている

　あるが、それだけではない。高度成長期を境に日本の暮らしぶりや地域社
会のありかたは大きく変わっていくのだが、昭和30年代頃までの、とく
に地方においては、地域の自然・風土に深く根ざした暮らしがまだそここ
こに行われており、そのようすを実際に見たり体験した人の記憶に直接問
いかけて記録できる機会はあと10年もすれば失われていくと考えられる
からである。その頃のことはいま聞いて、描いておかないと失われてしま
う。こうした危機感がふるさと絵屏風制作の動機になる。

◆地域の健忘症

　集落単位で受け継がれてきたその土地ならではの暮らしの物語や風土に根ざした生活文化が時代の変化のなかで急速に消え去ろうとしている。

　国や世界の歴史・事件はそらんじてその行く末を論じることができても、いま暮らしている土地のこと、集落の来し方については「健忘症」にも近い状況を呈している。先人が地名や碑文に刻み込んでくれただけでなく、体験者が存命しておりまだ歴史にもなっていないような身近な過去の天災・災害の記憶ですら伝承されず思い出されずに今日も新たな被害が生まれてしまっていることからも、あちこちの地域で「健忘症」が進行しているのが分かる。

　「昔はよかった」と過去をなつかしみ哀惜する気持ちからというよりは、「地域の健忘症」に危機感を抱く人びとが「いま聞いておかなければ、いま描いておかなければ」という思いに駆られてふるさと絵屏風づくりを始める。あるいは地域の変化を自覚し受けとめる作法の一つとしてふるさと絵屏風が採用されている。

◆つくって・つかって・そだてる

　ふるさと絵屏風は、素材を集め、構想し、描画し、表装するにいたるまで、地域の人びとの協働によってつくられる。ふるさと絵屏風は地域のなかで「つかう」ために描かれる。地域の人びとにはふるさと絵屏風が描き上がったら、それをいろいろな場で、さまざまなかたちで活用することが求められる。そうすることによってふるさと絵屏風は「そだって」いく。

　ふるさと絵屏風は「地域のみんなでつくって、地域のみんなでつかって、地域のみんなでそだてる」ものである。

五感体験マンダラをつくる

◆心象図法

　地域の老若男女が協力して、みんなでふるさと絵屏風を「つくって・つかって・そだてる」一連のプロセスを体系化した手法を「心象図法」と呼ぶ。

　「心象図法」はおおまかに分けると、

　　① 地域住民を対象にした五感体験アンケート

　　② アンケートに基づく聞き取り

　　③ 前項①②を踏まえた絵図の制作

　　④ 制作した絵図の活用

の四つの段階からなる。

　すべての工程で地域のいろいろな世代、さまざまな人が関わる。その過程で多様なコミュニケーションが生まれる。また、地域の人びとの工夫と地域同士の交流によってふるさと絵屏風を「つくって・つかって・そだてる方法」そのものが年々育っている。

　地域の誰かがよその地域のを見て「ウチでもあれをつくりたい」と思うことからふるさと絵屏風づくりは始まる。先にそれをつくった地域の人が、これからつくる地域の人にやり方を伝える。ふるさと絵屏風を介した地域同士の交流関係を「絵屏風親類」と呼んでいる。「絵屏風親類」は折に触れて交流し互いのイベントなどに行き来する。そんなかたちで地域から地域へそれが「伝播」し、「心象図法」は現在、発祥の滋賀県内を中心に関東関西あわせて 50 ほどの地域に広がっている（表1）。この調子でいけば、ふるさと絵屏風はそれ自体がいずれ新しい「民俗文化」になるのではないかと期待している。

表1　ふるさと絵屏風制作実績一覧（2021年3月末現在・筆者が関与した分を中心に）

絵図名称	完成年度	対象地域	事業主体
心象八坂図	2000	彦根市八坂町	上田洋平＋耳の会
心象今在家図屏風	2003	安曇川町今在家	安曇川町（当時）
心象西万木図屏風		安曇川町西万木	
心象上小川図屏風	2004	安曇川町上小川	
ふるさと野口絵図屏風	2005	マキノ町野口	滋賀県湖西地域振興局（当時）
ふるさと桂図屏風		今津町桂	
ふるさと地子原図屏風		朽木村地子原	
ふるさと馬場絵図屏風	2006	高島市安曇川町馬場	滋賀県高島県事務所
ふるさと湊絵図屏風		高島市湊	
ふるさと木津絵図屏風		高島市新旭町木津	
心象南市図屏風	2007	高島市安曇川町南市	NPO法人どろんこ
沖田条里ふるさと絵屏風	2007	高島市安曇川町沖田	沖田条里語り部会（区民有志）
南比良ふるさと絵屏風	2008	大津市南比良	南比良ふるさと絵屏風づくりの会
近江八坂図屏風	2009	彦根市八坂町	滋賀県立大学耳の会
渋川　風景の記憶絵	2010	草津市渋川地区	（財）草津市コミュニティ事業団
ふるさと福堂絵図	2010	東近江市福堂	グループホーム　吉兵衛
ふるさと上丹生絵図	2011	米原市上丹生	上丹生プロジェクトK
南船木絵屏風	2011	高島市安曇川町南船木	南船木区自治会
ふるさと沖野開拓絵図	2012	東近江市沖野	東近江南部地区まちづくり協議会
ふるさと大塚図	2013	東近江市大塚町	人と自然を考える会 NPO法人蒲生野考現倶楽部
ふるさと矢倉風景の記憶絵	2013	草津市矢倉地区	ふるさと矢倉風景の記憶絵プロジェクト
豊浦の郷絵図	2014	近江八幡市安土町下豊浦地区	安土町商工会
ふるさと老蘇絵屏風	2014	近江八幡市安土町老蘇地区	老蘇学区まちづくり協議会
葉山ふるさと（古里）絵屏風	2015	神奈川県葉山町木古庭地区・上山口地区	ふるさと（古里）絵屏風制作プロジェクトチーム
ふるさと草津風景の記憶絵	2015	草津市草津地区	草津学区ひと・まちいきいき協議会
岩上ふるさと絵屏風	2015	甲賀市水口町今郷地区	今郷好日会
岩井温泉ふるさと絵図	2015	鳥取県岩美町岩井温泉	岩井温泉自治会
岡本町ふるさと絵図	2015	大阪府枚方市岡本町	岡本町自治会・環境省きんき環境館
建部竹鼻商店街絵図	2016	東近江市建部地区	建部地区まちづくり協議会
湯河原ふるさと絵屏風	2016	神奈川県湯河原町	未病に取り組む多世代共創コミュニティ・ふるさと絵屏風プロジェクト
湯田学区ふるさと絵屏風	2016	長浜市湯田地区	湯田小学校
長曽根ふるさと絵図	2017	彦根市長曽根町	長曽根歴史勉強会
常楽寺ふるさと絵屏風	2017	近江八幡市安土町常楽寺	常楽寺ふるさと絵屏風づくり実行委員会
山内ふるさと絵図（計6点）	2017-2018	甲賀市土山町山内地区	山内エコクラブ
八日市ふるさと絵屏風	2018	東近江市八日市	八日市地区まちづくり協議会歴史文化プロジェクト
森里川海ふるさと絵本ありがとうあらかわ（荒川区編・秩父市編）	2018	埼玉県秩父市・東京都荒川区	（一社）鎮守の森コミュニティ推進協議会
竜法師ふるさと絵屏風	2019	甲賀市甲南町竜法師	地元有志
ふるさと鎌掛絵屏風	2019	日野町鎌掛	ふるさと鎌掛の絵屏風制作実行委員会
鵜川ふるさと絵屏風	2020	竜王町鵜川	鵜川地区自治会
大宝村ふるさと絵図	制作中	栗東市大宝地区	大宝村ふるさと絵図の会
彦根下石寺絵図（仮）	制作中	彦根市下石寺町	滋賀県立大学
彦根市泉地区絵図（仮）	制作中	彦根市日夏町泉地区	泉エコークラブ
大石龍門ふるさと絵屏風（仮）	制作中	大津大石龍門	株式会社叶匠寿庵

◆五感体験アンケート

　ふるさと絵屏風の制作の手始めとして「五感体験アンケート」を実施する。地域の人びとに調査票を配って、「今も目に浮かぶ風景」「なつかしい音」「思い出の臭いや香り」「手足によみがえるような感触・肌ざわり」「思い出の味」について、それぞれ自由記述により答えてもらうというものである（図3、写真1）。

　「目・耳・鼻・肌・舌」の五官による「視・聴・嗅・触・味」五感の体験をそのまま問う。いたって単純なアンケートであるが、このアンケートはたいへん重要である。アンケートによって参加意識を持ってもらう。絵が出来あがったときに「アッ、ここに描かれているのは私だ！」という声とともに自分自身のすがたを絵の中に見つけ出すということが起こるのは、たった一つでも自分の思い出をそこに投じたという事実があるからだ。

　五感体験というのは老若男女問わず、また、その地域に関する知識・学識の有無によらず、誰もが持っているものである。目が見えない、耳が聞こえない人であっても、むしろだからこそ聞こえたり見えたり、その人だからこそ感得できるものがある。「五感体験アンケート」では、地域に生きる一人ひとりの、生身の、具体的な体験に関するデータをできるだけたくさんの人から集めることを目指す。

　そうは言っても、実際には、地域のすべての人を対象にアンケートを実

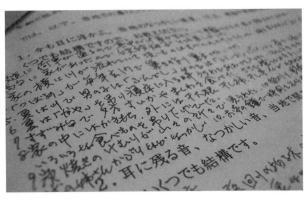

写真1　五感体験アンケート記入例
「たいした経験もないが…」と言っていたような人でもいざやってみるとびっしり書いてくれる

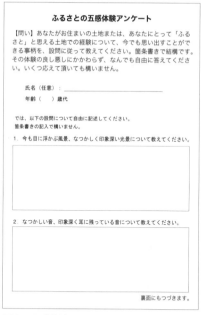
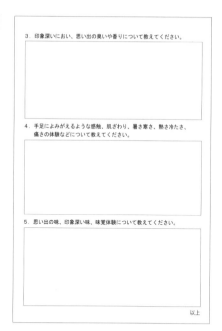

図3　五感体験アンケート

施するというということは少ない。多くの場合は地域の老人会に類する組織の会員に対して行う。

　一つのやり方として、物知りの古老幾人かに先行してアンケートに協力してもらい、そこから拾い上げた回答例を質問票に添えて配るとたいへん効果的である。お手本を準備したうえで、老人会の例会などの場に出かけてアンケート用紙を配り、ほんの10分ばかりでもよい、ふるさと絵屏風の他所での作例を見てもらいながら説明をすると、途中からもう会場のあちこちで思い出話が始まる。そこですかさず「いま皆さんがお話になっていること、まさにそういうことをどんどん書いていただきたいのです。それを集めて絵屏風をつくるのです！」と呼びかける。すると皆さん乗り気なって、熱心に書いて提出してくださる。そうなればしめたものである。「そんなたいした経験もないが…」と言っていたような人ほどたくさん書いてくれることがあるので面白い。そうして何百も集まった五感体験の数々は、

表2　五感体験アンケート回答例

風景	「みかんもぎをしながら海岸線を眺めた風景」 「家で横になっていても見えたいか釣り船の灯」 「地曳網をみんなでひいて魚をいただいたこと」 「松並木越しの波が美しかった」 「田に水を引く水路の流れが太陽の光で輝いていた」 「千歳川で兄たちが毛ガニを取ってくれたこと」 「駅前に広がる田んぼ」 「田んぼ一面にレンゲソウの花が咲いていた」 「軒下の干し柿・干し芋・大根」 「どんどん焼きのしの竹を百本ずつ刈って束ねてお宮まで運んだ」 「三角ベースの野球」
音	「漁船の汽笛」 「台風の時の波の音」 「みかん山で聞こえるハサミの音」 「畑の出稼ぎに来ていた若いお姉さんたちの笑い声」 「足踏み脱穀機の音」 「田んぼのカエルの鳴き声」 「夕方になると、豆腐屋さんのラッパ、納豆屋さんの声」 「東海道線を走る汽車の音」 「B29が飛んでいる音」 「グラマンが湯河原駅を攻撃した時の音」 「文珠堂で念佛講が開かれおばあさんたちの念佛する声」 「家屋消毒の器械のモーター音」 「夜になると、火の用心の拍子木の音がした」
匂い	「みかんの花の匂い」 「5、6月頃のみかんの花の香り」 「牛車で肥やしをこぼしながら運んでいた時の匂い」 「家畜のにおい」 「ガソリン車の排気ガスのにおい」 「冬の掛け布団の重さと綿のカビ臭いにおい」 「外でサンマを焼く匂い」
感触	「冬の海にハンバ取りに行ったときに手足が冷たくて痛くなった」 「積もった雪を落としてミカンをもぎ取る時の手の冷たさ」 「着物を着て畑仕事に行っていたこと」 「寒い朝、霜を踏むときの感触」
味	「夏の海でかき氷の味」 「畑からとってきたすいかを川の水で冷やして食べたときの味」 「畑でスイカを割って食べぬるまっこい味」 「大きな山桃の木が数本あってよくその実をほおばった」 「小学校の校庭のナツメの木の実を食べた」

注：JST-RISTEX「持続可能な多世代共創コミュニティの形成プログラム」「未病に取り組む多世代共創コミュニティ・ふるさと絵屏風プロジェクト」で2015年に神奈川県湯河原町で実施した五感体験アンケートへの回答をもとに筆者作成

美しい物語のプロローグを思わせる（表2）。

　五感体験アンケートには直接本人に記入してもらうのが一番だが、それが難しいという人もいる。その場合は家族にお願いして聞き取って記入してもらうと良い。それが対話のきっかけにもなる。

◆あなたの「身識（みしき）」を聞かせて欲しい

　五感体験にこだわるのにはこんな背景もある。

　地域に出向いて調査する。90近い年寄りにインタビューしようとすると「わたしらみたいに学のないもんが、大学の先生にお話しできるようなことがあるやろか」と謙遜されることがある。けれどこういう場合に私たちが求めているのは教科書その他の書物のなかのいつでも取り出しどこへでも持ち運び可能ないわゆる「知識」や「学識」ではなくて、地域で生きることを通じて一人ひとりのからだのなかにしみこむようにして蓄積された生の認識である。

　その種の認識のなかには、巧く言語化できないような、あるいは、その人がある行動をとったりある環境・状況に立ったときに初めて起動するような「ワザ」的なものも含まれる。「暗黙知」とか「具体の科学」とかいうことばがあるが、私は「身識（みしき）」ということばでそれを呼んでいる[注2]。

　人びとがイメージする「知識」や「学識」を向こうにまわして、方便としてあえてエイ、ヤッとそう呼ぶことにしたのだが、これが意外にうけた。「先生、あんたもこの頃やっと身識がついてきたなあ」というように活用できるのがよかったらしい。

　どちらが大事というのではなく、「知識」と「身識」が合わさって初めて「常識」になると考えている。しかししばしば、それを豊かに持っている人たち自身によって「身識」が不当に低くあつかわれているのがもったいないと思うから、「あなたの身識を聞かせて欲しい」と、そういうことばで呼びかけている。

ふるさと絵屏風は一人ひとりの日々の生活に根ざした「身識」を素材として地域のものがたりを描きたい。五感体験を問うとその「身識」を掘りおこすことができる。

　また、「身識」や五感体験は、どちらの人のがより正しいとかより深いとかいう競いあいや査定の対象になるようなものではないので、お互いの体験に対する共感に基づくコミュニケーションを促すことができる。

　人びとの「身識」をつかむ糸口としては誰もが持ちうる五感体験がふさわしい。「地域での体験を聞かせてください」とか「思い出話をしてください」と問うよりも、「五官・五感」のレベルに分解して問うほうがより具体的な回答が得やすいようである。

◆五感体験マンダラ

　アンケートによって人びとの五感体験データが集まったら、それをつかって「五感体験マンダラ」をつくる。人びとの五感体験を一つ一つカード化し、カード同士の関連性をみながら模造紙など台紙の上に配置し貼り付けてマップ化したものである（図4、5）。五感体験の空間的配置だけでなく季節や時間の前後関係などにも着目してその土地の世界観あるいは人びとの「心のふるさと」の構造を可視化したものなので「マンダラ」の語をつかっている。べつに単に「五感体験マップ」と言ってもいい。

　五感体験マンダラをつくる作業は五感体験のデータを分類・整理するだけでなく、ふるさと絵屏風の「設計図」をつくる作業でもある。住民が参加するワークショップとして行うこともできる（表3）。

　五感体験マンダラワークショップの場には監修役として地域の年寄りに入ってもらう。五感体験カードを読み上げ、「どういうこと？」「どこであったこと？」などとたずねると、年寄りはそのカードに書かれたエピソードについてよりくわしく語ってくれるだろう。年寄りが何人もいると、そこから次々に連鎖して思い出話が広がっていく。そんなわけで、この作業

図4　五感体験マンダラ（五感体験マップ）
一人ひとりの地域に関する「身識」を五感体験に分解したものを再統合し、たくさんの
「島々」からなる集合的記憶の地図にする（制作：老蘇学区まちづくり協議会、2013年）

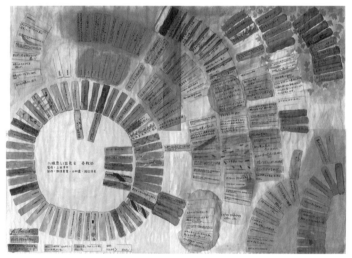

図5　五感体験マンダラ（思い出花火）
学生が作成し、その形状から「思い出花火」と名づけた。おなじ五感体験データをつかって
も、工夫次第でいろいろな形のものができる（制作：滋賀県立大学耳の会、2009年）

表3　五感体験マンダラのつくりかたの一例

① 五感体験アンケートの回答を一つ一つ、重複する回答も含めてすべてカード化する（ラベルシートに印字してカード化しておくと、あとの作業の手間が少し省ける）

② 模造紙などの台紙の上に、対象地域の地図を簡略化して描く。山、川、海、田畑、駅、大きな道やランドマークになるものなどを模式的に描く。方向や位置関係が分かればよいので、ごく簡単なものでよい

③ 五感体験カードを作業者に山分けする。作業者はカードにざっと目をとおす。

④ 作業者は順番に自分の五感体験カードの山から任意の1枚を取り上げて読み上げる

⑤ 皆で相談しながら、その体験が山にまつわるものであれば山のあたりに、田んぼにまつわるものであれば田んぼのあたりにというふうに、台紙に描いた地図上のふさわしい位置に仮置きする

⑥ 台紙上に配置された五感体験カードの内容と関連したり類似するものを手持ちのカードのなかに見つけた人は申し出て読み上げ、先に配置されたカードのそばに置く。同じ事柄について述べたカードが複数ある場合でも、1枚で代表させるのではなく、出てきたカードすべてを配置する

⑦ ④〜⑥の作業を、すべてのカードを配置し終えるまで繰り返す。そうすると、台紙上にいくつもの五感体験カードの「島」ができる

⑧ すべてのカードを仮置きできたら、カードの配置先やカード同士の関連性、またカードの「島」同士の関係性など吟味し、みんなで議論しながら、全体としてよりふさわしい配置になるよう必要に応じて並べ直す

⑨ 全体としておおむねふさわしい配置になったところで、カードを台紙に貼り付ける

⑩ カードの内容に合ったイラストや見出しなどを描き込んだり、色を塗ったりして完成

（筆者作成）

は数日にわたることもある。

　五感体験マンダラづくりはパズルみたいなもので、なかなか根気がいる作業だ。しかし大変面白い作業である。学生や子どもでも参加できる。

　この場に居合わす子どもたちにとって、そこは地域の歴史を年寄りたちから学び伝承する場ではなく、子どもたち自身が地域の物語の作者になれる場になるだろう。

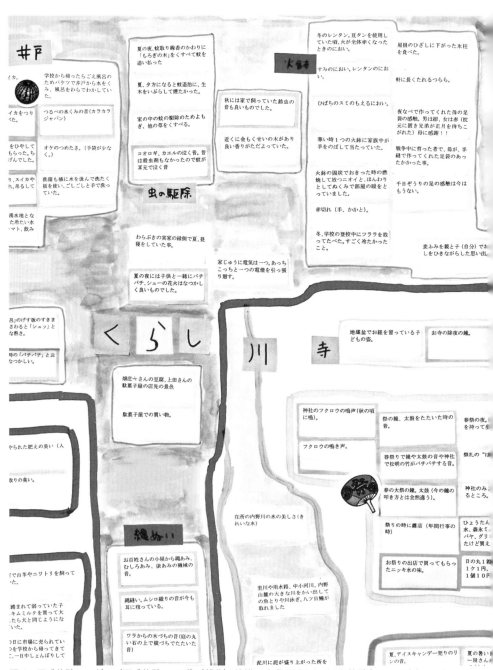

図4　五感体験マンダラ（五感体験マップ）（部分）（制作：老蘇学区まちづくり協議会、2013年）

6月のホタルの乱舞。

6月には、ほたるを探しに田んぼへ小川へ行くのが楽しみの日々がありました。

夏の夕方になるとナタネの穂を竹につけてホタル狩りをしたこと。

用水路に飛び交うホタル。

ホタル

内野五感マンダラ 半世紀前のくらし あのころ

あそび

神社の境内や寺でソフトボールをした思い出。

雪合戦をした後の手の冷たさとあつさ。

昔は雪が多かったので雪ダルマ作った時には手がとても冷たかった。

冬の「たこ」上げ、雪合戦。

小さな小川が山裾に流れていて、あみで魚つかみをしたことが懐かしく思われる。

川の流れる音

川

神社

ちん

津島祭の笛の音色。

子供達の飾り竹を燃やすパチパチ音。子供達の歓声と笑顔、笑い声。

しし舞いの笛の音。

出てく

紙芝居。

キー、カ
かっ

若祭中に出るのが楽しかった。萬寿とか菓子が買えるから。

ラメル
、胃）

学校でプールなく川で泳いだこと。

夏プールもないので川で遊んだこと。

十三仏山に行って木の葉かき（燃料の確保）が行われていた。

山でのこの葉かき。

十三佛山での松茸狩りのときの松茸。

虫・生き物

店

夏の蝉の鳴き声。

セミとり、蛙つりをしたこと。

キャンデ
ってき

冷たいキャンディの味。

郷土の歴史の素材は一人ひとりの生身の生活体験のなかにある。言い換えると、そこに生きる一人ひとりのからだこそが郷土の歴史の源泉であり「ふるさと絵屏風のふるさと」なのだ。

◆記憶の変奏曲

　人びとから寄せられた五感体験の記憶は、重複も含めてすべて活かして五感体験マンダラをつくる。思い出や記憶というのは反復し重複することが肝心である。「家にいる年寄りが同じ昔話ばかりくりかえすので辟易する」というような話を聞くが、その人にとって大事なことだからくりかえされるのであって、五感体験マンダラではその大事さを平面上に可視化する。ある事柄についての記憶の「島」が大きければそれだけ、その記憶は地域の人びとの心の地図において大きな位置を占めている可能性が高い。

　もちろん「一匹オオカミ」のカードもある。1枚だからといって重要度が低いということはなく、その1枚で「島」になる場合もある。重複するものも、1枚きりのものも、記憶のカードは基本的に捨てずにぜんぶ活かすよう工夫する。工夫のしかたはいろいろあるが、たとえば、内容が重複するカードを並べる際、単語一語だけ書かれたような簡単な記述のカードから重厚な記述のカードの順に並べて貼り付ける、といったルールでやってみるとよい。簡単な記述から重厚な記述へというのは次のようにするのである。

「みそ茶」

「田んぼで食べる味噌汁の味」

「堀の水をくんでみそ汁をつくって食べた。おいしかった」

「昼食は田んぼで家には帰らなかった。川の水をやかんに汲んで沸騰し、味噌、だしじゃこを入れて湯をかけて、むしろ敷きの上で食べたご飯」

「幸津川のミソジャ。昼前になると川の柳の根元やまこもヨシの下にサデ網を入れて魚を取り、豆木やワラで魚を焼く。川の水を沸し、家から持って来たミソで即

　「ミソジャ」を主題とする「記憶の変奏曲」とでも言おうか。たった一
品のおかずをめぐる記憶が少しずつディテールを加えながらくりかえされ
るうちに、ある農村の昼めし時のイメージが増幅され、情景があざやかに
立ち現れる。

　たった一語のつぶやきにも似た回答から始まり、一人ひとりのエピソー
ドがつらなりかさなりあって、地域の物語がおのずと編み上げられていく。
エピソードがエピソードを呼び、年寄りは身ぶり手ぶりでいきいきと語り、
記憶の連鎖はとどまるところがない。五感体験マンダラづくりは、そうい
う場を生みだす。

◆地域の環世界

　いろいろな地域の五感体験マンダラを見てみると、一見同じような環境
で同じような体験をしているように見えても、その体験に与えられる重み
や見いだされる意味は集落ごとに違っているということが分かる。また同
じ土地に生きていても、年寄りと若い人とでは、集落の景観から受け取る
情報やそれに与える意味の量や質に大きな差がある。「年の功」というの
もあるけれど、それだけでもない。

　そこに住む人びとが自らの生存の基盤となる集落の自然環境をどのよう
に認識・評価し、それに基づいて自然環境に対してどのような働きかけを
行うかは、それぞれの集落とそこに住む人びとのなりわいや文化的伝統に

よって変わる。同じ自然環境に対峙した場合でも、農家と漁師とでは、そこに見いだす意味や与える価値は違っており、「漁師の昨日、百姓の来年」と言われるように[注4]、ときには時間のとらえ方なども大きく違っているものである。

　ある生きものがその身体や認知機能の制約のなかで意味あるものとして知覚しえた情報をもとに構築する固有の世界のことを「環世界」という。人間は目、耳、鼻、舌、肌の五官を主とする知覚器官の制約のなかで獲得しえた五感の情報をもとにいろいろなことを判断し行動をおこす。けれど人間の場合、同じ環境にあって同じように五官を持っているといってもなりわいや文化あるいは教育が違うとそこから受け取る情報やそれに与える意味が大きく違ってくる。他の動物と違って人間は文化やイマジネーションによって身体・五官の制約から抜け出し、あるいは逆にそれらによって身体・五官が制約を受けるかたちで環境とやりとりをしながら自らの「環世界」をつくる。

　その土地に根ざしたなりわいや文化的伝統がそこに生きる人びと固有のまなざしを育み、人びとはそのまなざしに導かれて周囲の環境にはたらきかけ、そこから価値を引き出しめぐみを得ながら生きている。その土地でなりわいや文化を同じくして生きた人びとは、その営みをつうじてそれぞれの地域固有の「環世界」を生みだしそのなかに生きている。

　そのように仮定すると、五感体験マンダラやふるさと絵屏風は集落の過去の暮らしぶりだけでなくて、地域固有の多様な「環世界」の輪郭を写し取り可視化したものだと考えることもできる。

　そのような五感体験マンダラが出来あがったら、次は「聞き取り」を行う。

聞き取りから語り部さがし

◆聞き取り

　聞き取りは、アンケートに引き続いて地域の老人会等の人びとを対象にする。会員みんなに集まってもらうのか、選抜された精鋭の人びとに出て来てもらうのかは、それぞれの事情に合わせればよい。ただし精鋭と言っても、地域のものしりや歴史好きの人ばかりにならないようにしたい。また、男性ばかり、女性ばかりにならないようにする。

　聞き取りするとなると、ふつうはあらかじめ練り上げられた質問項目や調査票あるいはマニュアルがあって、訓練を積んだ専門家がそれを駆使して遺漏のない資料・史料ができていく。

　ふるさと絵屏風のための聞き取りでは、そのように練り上げられた質問マニュアルをつかうかわりに五感体験マンダラをつかう。

　五感体験マンダラには地域のくらしの骨組みが地域の人びと自身の体験を素材として図示され、それぞれの体験の重みも可視化されている。つまり五感体験マンダラはそれ自体聞き取り調査のガイドマップになっているので、その場に広げて、話し手と聞き手がそれを見ながら、マップの内容

写真2　聞き取りのようす
話すほどに新たな記憶がよみがえり、生き生きと熱を帯びる。話の内容とその勢いに若者は圧倒される。（神奈川県湯河原町）

に沿って聞いていけばよい。

　五感体験マンダラの上には、さまざまな「記憶の島」が点在している。その島を一つ一つ「探検」する気分で質問していく。マップに書かれた内容を指して読み上げるだけでも、年寄りたちはいろいろ話し出してくれるはずだ。聞き手は質問をするというよりも、話のスイッチを押すことがその役目だ。もちろん、その日にどのテーブルで何をテーマに話を聞くかということについては、聞き手・スタッフであらかじめ「探検の方針」を話し合っておく必要がある。五感体験マンダラという「宝の地図」を見ながら記憶の島々をワクワク「探検」するといい（写真2）。

◆語り部さがし

　1回の聞き取りは、おおむね2時間が限度であろう。すると、1回ですべて聞けるということはまずない。「もうちょっと話したかったな」とみなが思うタイミングで「ではまた次回」と切り上げる。スケジュールのゆるす限り、回数を重ねたい。

　聞き取りを重ねていくと、どの人が話し上手なのか、どの人がどんな得意分野や「ひとつ話」を持っているかが分かる。それを把握しておけば、ふるさと絵屏風が完成した後、活用の一環として「絵解き」をする際に、どの人が「語り部」になりうるか、誰に何の話をしてもらえばいいかが分かる。

　話の内容は書きとめ、また録音する。聞き取りの成果は最終的には絵屏風としてまとめるわけだが、聞き取ったことについては、「聞き書き集」のような形にしておくと良い（写真3）。絵屏風の解説書になる。さらに可能であれば、ビデオに録画しておくとよい。農作業の所作など、年寄りたちはきっと身ぶり手ぶりで話してくれる。それもかけがえのない「身識」であり、絵図を描く際に参照できる資料になるし完成後にも活用できる。

写真3　聞き書き集
聞き取った内容を聞き書き集としてまとめる。これをもとに後世の人が絵屏風を読み解くテキストになる。

◆くらしと歴史・文化の斜交場

　五感体験マンダラをつかえば素人ばかりでも充実した聞き取りの「場」をつくれる。だから、こうした場に子どもたちが参加すると良い。中学生くらいならじゅうぶん、あるいは小学生でも高学年ならそこそこ聞き手はつとまる。もっと小さいならその場に居合わすだけでよい。

　地域にとって大事なのは、子どもが年寄りから昔の話を聞いて学び年寄りが子どもに教え伝えるということ以前に、まずは子どもたちが、ワクワクするようないたずら話や胸が締め付けられるようなつらい体験を生き生きと時間を忘れて話をする年寄りの姿を見、その存在に触れる場をともにすることである。年寄りたちと一緒に笑い、涙したという共感の経験が先にあって、それが地域のくらしや歴史を自分ごととして伝承しようとする気持ちにつながっていくのではないだろうか。

　年寄りたちにとっても、同じ思い出話をするにしても、家族だとときに煙たがられることがあるが、ふるさと絵屏風をつくるという共通の目的のもと、仲間同士で、あるいは家族以外のよその子や学生たちに話すとなると興味津々で聞いてくれるので、話すほどに生き生きとしてくるのが分か

る。

　地域は本来「斜交場」である。「社交」ではなく「斜交」という意味は、タテ一列の親子や家族だけでなく、また、ヨコ一線の同年・同世代だけでなく、いろいろな種類のさまざまな世代の人が「斜め」に交わりかかわりあう場だということである。

　かつては家庭もいまよりずっと「斜交的」だった。「炉辺夜話」ということばがあるように、いろりばたで家の年寄りの問わず語りを聞く。昔は「もらい風呂」などといって、燃料を節約するために親類あるいは近所の数軒が代わる代わる風呂を焚いて、家族単位で互いの風呂に行き来するということが行われたが、風呂の順番を待つあいだに年寄り同士が世間話や昔話をするのを、かたわらで子どもたちも聞くともなく聞いている。日常のそんな時間のなかで地域の事情や価値観が自然に受け渡されていったものだ。

　聞き取りという「斜交場」に学生を連れていくと、話の内容はもとより、年寄りたちの熱量に圧倒されて、聞き取りが終わるころにはスポーツの試合でもした後のようにクタクタになっていることがある。こうした体験を通じて「お年寄りに対するステレオタイプな見方が変わった」という人が出てくる。

　年寄りをいたわるべき存在として扱うあまり、ときには介護・福祉のプロと思われるような人までが、年寄りをまるで「子どもあつかい」しているかのような場面を見ることがある。学生や子どものなかにもそうした（無）意識がある。

　しかしたとえ数時間でもその人の体験に向き合い、物語に耳を傾けるうちに、彼らのなかに年寄りたちに対する驚きや畏敬の念が生まれてくるようだ。実際、年寄りたちの多くは男女問わず、いまの若者・子どもたちよりもずっと「やんちゃ」で野性的だったりすることが多い。

　介護の現場で聞き取りや聞き書きを取り入れている施設では、介護スタッフが年寄りの人生の物語をていねいに聞き取った後は、それまでと比べ

て、スタッフの年寄りへ向けるまなざしやその接し方に変化が見られたという。

　人間の価値までもが「生産性」で語られる時代、また、テクノロジーが日に日に進化しそれに合わせてライフスタイルや価値観も見る間に更新されていく時代にあって、社会として年寄りたちの経験や「身識」を、あるいはその存在をすら受け止め活かすことができなくなっている。

　あえてその場を設けなければ年寄りと子どもが居合わせ語り合う機会がないというのは社会として本来あまりすこやかなあり方ではないのであるが、いまはそうした場が大切だ。ふるさと絵屏風は「斜交場」づくりに加担する。

◆過去をそだてて未来をつくる

　聞き取りをし始めると、「それは何年のことか」とか「それは正確にはどういうことだったか」という時代考証に熱中してしまって、そのつど話の腰が折れてしまって前へ進まなくなってしまうようなことがある。ここで行う聞き取りは、あんまり窮屈に何年何月ということにとらわれないで進めたらいい。

　聞き取る内容がでたらめでいいというのではない。いままで地域の歴史について話したりすることのなかった人たちも含めて、みんなで地域のことを話したい、聞きたい。だからこの場ではまずは一人ひとりの体験に基づく「身識」を尊重し受けとめ合うことを大切にする。「知識」に基づく事実鑑定や時代考証は別にじっくり行ったらよい。

　ふるさと絵屏風は地域の歴史を誇り自慢するためだけでなく、それをつくってつかってそだてる取り組みを通じて「過去をそだてて未来をつくる」ことを目指している。

　過去の出来事、その事実は変えることができないけれど、その出来事その事実から人びとがなにを学びどう未来に活かしていくかによって過去の

意味、あえて言えば「過去の値打ち」は変わっていく、変えることができる。それが「過去が育つ」ということだ。もちろんその「値打ち」は人びとのあり方しだいで高まりもすれば、将来それが帰結するところによっては逆にその「値打ち」をおとしめることもある。「これまでがこれからを決めるのではない、これからがこれまでを決めるのだ」と言った人があるが、歴史にもそれは当てはまる[注5]。

その意味や解釈が絶対的に確定した不変で正しい歴史というものはありえない。すると、おなじ事実を素材としながらも、人により立場によってぜんぜんちがう歴史が成立しうる。だから信用できないというのではなくて、だからこそ自由な対話のできる場をつくり、そこでみなが自らの経験を持ちよりそれぞれの声を重ねあうことが大切なのだ。

4 ふるさと絵屏風の制作

◆絵師の条件

さて、五感体験アンケートとそれに基づく聞き取りをへて、絵図の制作にとりかかる。

だれが描くのか。絵を描く人のことを「絵師」と呼んでいる。絵師も地域のなかに求める。そして絵師はきっと地域のなかにいる。たとえば学校で美術の教師をしていた人。公民館で絵手紙を習っている人。芸術大学に通う学生。中学校や高校の美術部の生徒たちの力もおおいに助けになるし、関わった生徒は未来の語り部になる。

絵や芸術にかかわりのある人でなくても、まったくの素人ばかりで立派に描き上げた地域もある。それがまた何ともいえずに良い。あまりうますぎないほうが良いようだ。しかし少しはデザインの心得がある人も関わるのがよい。絵の構図などを考える場面でそういう力が求められる。

絵師は一人でないといけないということはない。何人いても良い。その場合、ある人は人物を、ある人は建物を、ある人は風景を、というふうにそれぞれにおもな分担を決める。

　絵師は最初から見つけておく必要がある。絵師には五感体験マンダラづくりや聞き取りにも立ち会ってもらう方が良いからだ。

　画力があるということでは画家に頼むと間違いなさそうだが、画家がその人自身の固有の世界を表現するのとは違って、ふるさと絵屏風はあくまで地域の人びとの心の風景を、アンケートと聞き取りにもとづいて描くものである。制作の最中には2、3回、絵図の内容を確認する機会を設け、そこで出た意見に従って何度も修正をしなければならない。絵師にはそのことを承知してもらわなければならず、専業の画家に頼む場合、とくにその点についてよく確認したほうが良い。画家というより、むしろイラストレーター的な資質が求められると言える。

◆構想を練る

　絵図の制作は、①構想を練る、②エピソードを取捨選択する、③構図を決める、④下絵を描く、⑤下絵を確認する、⑥下絵を修正する、⑦本図を描く、⑧本図をスキャンしデジタルデータ化する、⑨表装し完成、というふうに進む。

　ふるさと絵屏風づくりを進めるうちに、その地域のくらしの物語が見えてくる。その土地の人たちがどのように自然と向き合い、いかなるめぐみに支えられて、どのようにして生計をたて、何を楽しみとし喜びとして生きていたのか、ということが分かってくる。「構想を練る」というのは、そのようにしてあらためて確認したことを踏まえて、自分たちのふるさと絵屏風の主題を議論し決定するということである。「山のめぐみと海のめぐみのめぐりあわせが育む里山のくらし」とか「ヒトモノコトが行き交う街道にうまれた新旧共存の宿場町」というふうに、その地域の本質につい

「湯河原町ふるさと絵屏風」地区別エピソード採用意向調書

地区名		記入者	

別紙「エピソード一覧表」および「五感体験マンダラ」を参照の上、「湯河原町ふるさと絵屏風」に採用したいと思うエピソードや場面について、第1候補5つ、第2候補5つをそれぞれ選び、下記欄内にご回答ください。また、当地区の特長だと思うことや次世代に語り継ぎたいこともご回答ください。

【第1候補（5つ）】

	選んだエピソード	選んだ理由やそのエピソードに関連する他の事項
記入例	神社の祭の様子、沢山の夜店と大勢の参拝者 ※一連の場面であれば複数の事項をひとまとめにして頂いてもかまいません	(理由) 当地は祭を中心に一年の暮らしが回っていたから (関連する事項) 屋台を引く子供
1		
2		
3		
4		
5		
備考		

裏面にもご記入ください

「湯河原町ふるさと絵屏風」地区別エピソード採用意向調書

【第2候補（5つ）】

	選んだエピソード
1	
2	
3	
4	
5	

【当地区の特長（特長的な景観や重要な事件）あるいは語り継ぎたいこと】

【その他、制作する絵屏風の内容や構図、活用法に関する希望やご提案など】

ご協力ありがとうございました。

図6　エピソード採用意向調書
たくさんのエピソードのなかから、どのエピソードを採用するか、住民による投票をして決めることもある。何を伝えたいのか、何を描けばその地域らしさが伝わるかをここで真剣に考える（神奈川県湯河原町）

て話し合い、端的に表現してみるということである。

◆エピソードを取捨選択する

　「五感体験アンケート」と聞き取りによって膨大な数のエピソードが集まってくる。ほんとうにたくさんなので、すべてを絵にすることはできない。そこで、どのエピソードを絵図に描くかということを選択しないといけない。

　どのふるさと絵屏風にも共通して描かれるものはある。たとえば農村地域では農作業の進行と稲など田畑の作物の生育によって表現する「四季耕作」、それから、その集落で人はどうのように生まれてどのように死ぬの

かを物語る「生老病死」、それにかかわる「冠婚葬祭」と「祭礼行事」、そもそもどんな風土であり、また、生活やなりわいをささえる水や燃料といった資源はどこからどうしていたかを伝える「地水火風」、そのほか「家並み町並み」「人馬往来」などが盛り込まれる。これら基本的なことがら以外に何を描けばよいか、どのエピソードを描けばその地域らしさが表現できるかということを話し合う。

　ただ、地域の全員で話し合うのはなかなかむずかしい。そこでエピソードの一覧表をつくり、投票によって選ぶというのも一つの策である（図6）。

◆心の遠近法に従う

　「構図を決める」というのは、構想を踏まえて画面のどこに何を描くか、どの範囲までを描くか、どの視点から見た絵にするかといったことを話し合って決めるということである（図7、写真4、5）。ここでも、五感体験マンダラが活用できる。五感体験マンダラが十分に吟味・工夫してつくられていれば、それがそのままふるさと絵屏風の構図・設計図になる。

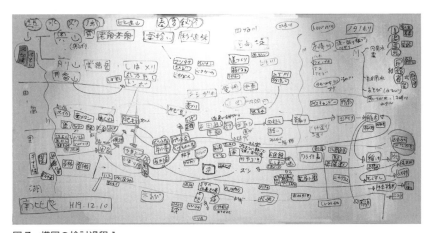

図7　構図の検討過程1
人の営みと物質の循環（めぐみのめぐりあわせ）を図式化する（大津市南比良）

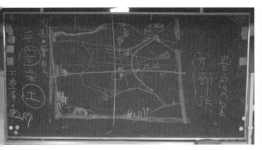

写真4　構図の検討過程2
「信長が夢見た平安楽土下豊浦の郷」という構想を念頭に、安土城址のある山を後方に仰ぎ見る構図（近江八幡市下豊浦）

写真5　構図を検討する参加者
山・田・里・湖と連なる空間構造のなかでどんなモノの流れがあり、何がどうつながっていたかを図式化する過程で、地域の暮らしの成り立ちを改めて確認する（大津市南比良）

　構図を決める過程では、どの視点から見た地域を描くかということも重要である。古い集落では「こちらが上（かみ）で、こちらが下（しも）」というような歴史・文化的な空間認識がはっきりとあって、それが実際の町並みや空間利用に反映されていることが多い。場合によってはそれが「この世」と「あの世」の境界になっていたりすることがある。

　「おもて・まえ」と「うら・うしろ」といったかたちで空間が意味づけされている場合もある。たとえば、おなじ集落でかつてはうみべが「おもて」であり「まえ」であるとされていたのに、鉄道ができてからは鉄道のある山側が「おもて」になり、いまではうみべは「うら」になってしまった、ということがある。そこで絵図ではうみべを「おもて」として描くことにして、ならばどの方角から見たどのような構図にすればよいかを考える。

　ある街道沿いの集落では、屏風絵の端に小さく富士山が置かれた。「わが集落は街道を通じて遠く江戸ともかかわりがある」という住民の意識をあらわすためである。ある集落は「多くの人が奉公に出かけていた」というつながりを伝えるため、山の向こうに京都の町並みを描いた。

　ただし、こうした空間認識は地域内の社会階層や家の序列等に関する意識と結びついている場合もあるので注意が必要である[注6]。

道案内につかう地図をつくるわけではない。だから、基本的な空間構造は踏まえつつ、地域の人びとの「心の遠近法」に従って大胆にデフォルメしたら良い。

◆時間の遠近法をあらわす

朝昼晩とか春夏秋冬といった時間・季節の推移や時代の変化を含む「時間の遠近法」も表現できる。画面の真ん中に 1 本描かれた線路の上を左端から電車が走り込んでくるその先で、機関車が右端へ走り去ろうとしている。そういう表現ができる。

戦後になって開拓された地域でのこと。開拓 2 世の住民が、開拓 1 世つまり自分たちの親の世代の記憶を集めてふるさと絵屏風をつくったのだが、その構図は画面の左上から右下にかけて「荒野がだんだん開墾されて田畑になり、そして賑やかなまちになるまで」の時代の流れをあらわす場面群が配され、また画面右上から左下にかけては「きびしい冬から実りの秋へ」の農作業を軸とした四季のいとなみが辿れるものになっている。一つの画面に「時代」と「季節」という二つの時間の流れが表現されており「X の構図」などと呼んでいる（図8）。各地の絵図の構図をよく見てみると、いろいろな工夫が隠されている。

構想を練り、構図を決め、描くべきエピソードを選択する、という絵画制作に組み込まれた作業に地域のみんなで取り組むことが、ふだんはあまり意識することのないような地域の構造や世界観についてあらためて気づき、地域として何を大切にし何を伝えたいのかを考えることにつながる。

◆下絵を描く

構図が決まったら、下絵づくりにとりかかる。数百に上るエピソードを、構図に従ってそれぞれどこに配置していくかを考えながら描いていくわけだが、その際、それぞれのエピソードを名刺からはがきくらいの大きさの

図8　心象沖野開拓絵図
画面の左上から右下にかけて「荒野が開墾されて田畑になりまちになるまで」の時代の流れが、ま
た画面右上から左下にかけて「きびしい冬から実りの秋へ」の農作業を軸とした四季のいとなみが
辿れる。通称「Xの構図」（制作：八日市南部地区まちづくり協議会、2012 年）

紙に簡単にスケッチした「絵札」をつくると良い。この際、地域の人びと
にとっての出来事の印象の強度や意味づけの大きさにあわせて、人物や建
物の大きさを、大・中・小くらいのパターンで描き分けるやり方もある。
　絵札をつくるには、その資料となる文献や古い写真などを集めて参照す
る。はじめから同時並行で進めておく。地域の博物館や図書館も力を貸し
てくれるはずだ。聞き取りの機会に写真の持参や提供を呼びかけたり、と
きには年寄りたちにスケッチを描いてもらうのもよい。この機会に住民参

写真6　下絵制作のようす1
「絵札」をつくり、配置を決めていく。ふさわしい配置になるまで何度も移動させる（神奈川県湯河原町）

写真7　下絵制作のようす2
絵手紙教室の講師と芸大志望の高校生。記憶が継承される場でもある（近江八幡市下豊浦）

加で地域内のまち歩きイベントを行えば、資料も集まるし、地域の機運が一層高まる。

　さまざまな資料を駆使して絵札を作成し、用紙の上であちらからこちらへ、ここからそこへと移動させながら、ふさわしい位置を決めていく。じゅうぶん吟味工夫して配置が決まったら、それぞれの場面を1枚の紙に描き写していく（写真6、7）。

◆下絵の確認会

　下絵がおおむねできてきたら、聞き取りに関わった老人会や地域の住民向けに下絵の確認会をする。みんなに見てもらって意見をもらう（写真8、9）。

　絵のすがたが現れだすと、それに触発されてまたたくさんの話が出てくる。ふるさと絵屏風は当初、覚えていることを「思い出して描く」のだが、この段階に来るとむしろ「描くので思い出す」ということになっている。描けば描くほど、見れば見るほど話が出てくる。

　新たに出てきたことがらで必要なものは絵図に取り入れる。下絵の確認会は2、3度開く。しかしあまりひんぱんにやるとそのつどあたらしい意

写真8　下絵確認会のようす1
年寄りたちに集まってもらい、確認
する。指摘事項を付箋に書いて貼り
付け、修正を重ねる（近江八幡市老蘇）

写真9　下絵確認会のようす2
見てもらえば見てもらうほど新たな思い出も出てくるので
細かな修正が重なる。どこで切り上げるかが悩ましい（東
近江市八日市）

見や話が出てくるので収拾がつかなくなる。何もかもすべてを描き込まなくても良い。それは無理である。これまでの各地での取り組みから、ふるさと絵屏風は描かれた一つ一つの場面が人びとの語りを誘発するのだけれど、それと同じくらいに「描かれていないことについての語りも誘発する」ということが分かっている。そしてそれがふるさと絵屏風の「しごと」でもある。

　確認会は地域の文化祭などの機会をとらえてやってもよい。「何日から

写真10　ふるさと絵屏風の「アトリエ」
学校の空き教室をアトリエとして活用す
る例も増えてきた（神奈川県湯河原町）

写真11　本図の制作
本図の制作までくると完成までは意外と早い（神奈川
県湯河原町）

何日まで公民館で展示しています」と案内して展示しておいて、見た人が付せんに意見を書いて張り付けるとかメモを投函できるようにするのも良い[注7]。

◆どこで制作するか

ふるさと絵屏風の制作はどこで行うか。個人宅のアトリエのような場所ではなく、ひらかれた場所のほうが良い。公民館の一室などである。そうすると、地域の人がふらりとやってきて、覗いていく。あまり大勢、たびたびだと支障が出るが、作業を公開することでより一層その絵がみんなのものになっていく。とても大きな絵なので、できれば絵図をそのつど出したりしまったりするのではなく、出しっぱなしにしておけるほうが効率が良い。すると公民館の一室ではなかなか難しいこともある。

そんなときに、小学校などの空き教室をつかわせてもらえると非常に良い（写真10）。学校にとっては絵屏風制作の現場と人がそのまま郷土学習や総合的な探求のために活用できる。やりかたを工夫すれば子どもたちがひと筆ずつでも関わることもできる。小学校には地域の民具などが収集・保管されている場合もあって、それらを資料としてつかうこともできるだろう。

◆本図の制作

下絵が仕上がったら、いよいよ本図を制作する。といっても、ここまでくれば、あとは手を動かすのみである。ここからは中心スタッフや監修役の人以外にはあまり広く公開せず、絵師の人びとに制作に集中してもらえるようにする。他のみなさんはお楽しみに、というわけである（写真11）。

本図が完成したら、絵図をスキャンしてデジタルデータを作成しておく。それがすんだら表具屋に持ち込んで表装してもらう。場合によっては絵屏風の名称を達筆の人に揮毫してもらう。また、あわせて絵屏風制作の由来

図9　渋川・風景の記憶絵
画面左上から反時計回りに季節が進んでいく。琵琶湖の向こう
に京都が見えるのは、多くの人が奉公に行ったつながりをあら
わしている。近隣で最も都市化が進んだ地域で今はマンション
が林立している（制作：草津市コミュニティ事業団、2010年）

図10　沖田条里の里絵屏風
右下の鳥観図で条里制の残る村であることを示す。年中行事などを
丸い窓の中に配している（制作：沖田条理語り部会、2007年）

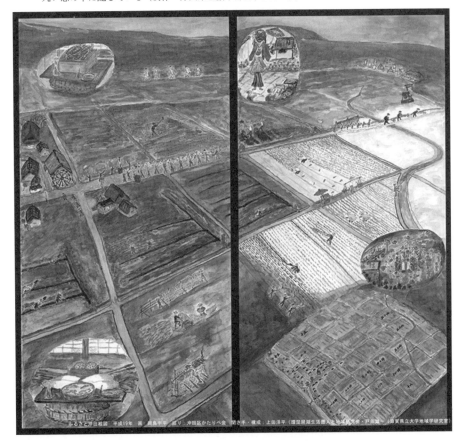

や関わった人の名前など記したものを、絵屏風の裏にはりつける。

　わざわざ手間をかけて屏風に仕立てなくても、と思われるかもしれないが、屏風になってみると人びとのなかでなんとなく絵図の「宝もの感」が増す。「百年先まで残せたら文化財、300年後には重要文化財」という冗談が、それもありえるかもしれないということでやや扱いが変わる。屏風に仕立てることの心理的効果だ。絵屏風は自立するのでどこへでも持ち出して展示することができるという実用面での効果もある。このようにしてふるさと絵屏風が出来あがる（図9、10 カバーの図）。

◆完成披露

　ふるさと絵屏風が出来あがった。そこでみんなに呼びかけて盛大に「おひろめ会」を開く（写真12、13）。市長や地域の学校長なども来賓にまねく。「絵屏風親類」も祝いに駆けつけてくれる。お祭りである。神主を呼びお神酒を上げた集落もある。絵馬がそうであったように「絵図を奉納する」感覚である。

　「除幕式」に続いて制作のいきさつを説明し、絵の解説すなわち初めての「絵解き」をする。来賓あいさつやコメント。ところによっては当時の

写真12　完成おひろめ会のようす
除幕式。覆いがはずされると「おおー！」という歓声と拍手が上がる（大津市南比良）

写真13　ふるさと絵屏風完成おひろめ会
それぞれに絵屏風を指さしながら「同時多発絵解き」が始まる（神奈川県湯河原町）

服装で、当時の食べ物を再現してふるまうなどする。なつかしい歌を歌う。歌うだけでなく、披露の日に合わせてふるさとの歌そのものをつくってしまった人たちもあった[注8]。

　絵屏風の縮刷版や解説の入ったパンフレットをつくって記念品として配る。また複製がつくってあればこの場で学校などに贈呈することもできる。

　頃合いをみて「ではどうぞ前へきて近くでじっくりご覧ください」とうながすと、絵の前は人だかりになって「あれも描いてある！」「これも描いてある！」と声が上がる。誰もが次々画面を指さしながら「あそこで魚つかみしてるのは○○ちゃんやろ」「これ私がモデルなの」と、絵のなかに誘い込まれる。「同時多発の絵解き」が始まる。それを見て触発された人びとによって「百聞を一見にしたふるさと絵屏風」から、それぞれの新たな百の思い出話の花が咲く。

　ある地域で行われたおひろめ会で、おしまいにあいさつに立った長老のことばを紹介しよう。

　「過去の先人の遺徳をしのび、現在を生きている南比良全住民が、いまここにお互いを讃え、ともに手をとり合って、未来の南比良に絵屏風を捧げます。今まで、当たり前のように過ごしてきた郷土に、琵琶湖の春夏秋冬に、比良の山川草木に、そして、人びとに、この素晴らしい私たちのふるさとに対して、心から「ありがとう」を言いたいと思います」[注9]。

5　ふるさと絵屏風のつかいかた・そだてかた

◆絵解き

　初めは半信半疑にしていた年寄りが、仕上がったふるさと絵屏風を見て、

　「どうにか完成したな」

　「もう思い残すことはないな」

「思い出は絵屏風に」

「たましいはお浄土へ」

　そんなふうに冗談を言い合っている。ここで満足されては困るから「ふるさと絵屏風は出来あがってからが本番ですよ。皆さんには語り部としてつくった絵図をつかってそだてる仕事があるのだから、ますます元気で働いて欲しい」と言ってけしかける。

　ふるさと絵屏風はつくって終わりではなく、「つかってそだてる」ためにある。そのつかい方は工夫しだいでいくらでもある。語り部が絵図の内容を話して聞かせる「絵解き」はもっとも基本的なつかい方である。その「絵解き」にもいろいろなやり方がある。一人の語り部が絵図全体を語る場合もあれば、複数の語り部が代わる代わるに得意の部分を語る場合もある（写真14）。

　絵解きには決まった台本は必要ない。この順序で話せということも示していない。語り部がそれぞれに絵のなかの場面と場面をつなぎ合わせてそれぞれのストーリーを話していく。何度も絵解きをするうちに、語り部も慣れてくるし、工夫もするので、だんだんと民衆芸能のようになることもある。それがまた面白い。そしてそうはならなくても、ポツリポツリと、問わず語りに語られるのを聞くのもまた良いものである。地域の文化祭、子や孫が帰省してくるお盆の頃、あるいは子どもらの行事である地蔵盆のときに集落の集会所などにふるさと絵屏風を出しておくとそこが自然に絵解きの場になっている（写真15）。

　「絵解き」を通じて地域に対する認知がわずかに変わる。認知が変われば行動が変わる。行動が変われば未来が変わる。「今までどぶ川だとしか見えなかったふるさとの川が、絵解きを聞いてからはそんなふうに見えなくなった」。それを起点に過去が育って未来が生まれる。そのように願って絵解きする。

　完成後のふるさと絵屏風は公民館などに展示・保管されることが多い。みなが必ず通る場所、集まるところに展示してあると、とくに絵解きの場

写真14　語り部による絵解きのようす
同じ1枚の絵から語り部の数だけ物語が出てくる
（神奈川県葉山町）

写真15　絵解きのようす2
お盆の行事の合間に、帰省した人と村の
来し方を語る（高島市沖田）

をしつらえなくても、公民館を利用したついでに絵屏風が目に留まりひと
ときの昔話が始まる。

◆**絵解き再現**

　行きがかり上私自身もふるさと絵屏風の「語り部」ということになって
いる。たとえば次のような口上から始める（図11）。

　「サァお立会い！　ただいまご覧いただいておりますのは滋賀県彦根市
八坂町のふるさと絵屏風「近江八坂図」でアリマス！　琵琶湖のほとりの
集落の昭和30年前後、今からざっと6、70年以前のようすが隅から隅に
描かれています。画面の左手上方に青々と広がっているのがびわ湖です。
右端の奥に雪を頂く伊吹山、その下をびわ湖に向けて犬上川が流れます。
左の端に荒神山が見えております。サテ八坂という土地は前に広がるびわ
湖のうみ、うみに接して北から南へ広いハマ、ハマから畑、つづく家なみ、
その家なみの背後に広がる田んぼの順になっております。田んぼの間に堀
と呼ばれる水路がタテヨコ網の目に張り巡らされております。ウミハマハ
タムラホリカワノラと、ざっとこういう構図でございます。ではそれぞれ
の場面を訪ねて参りましょう…」。

　「八坂の面白いのはこの広い広いハマであります。ハマの端ではおばさ

図11　近江八坂図屏風
「サアお立会い、これからご覧いただきますのは彦根市八坂町の昭和 30 年代のお話です…」
（制作：滋賀県立大学耳の会、2009 年）

んがおひつを洗いに来ています。おひつにこびりついたご飯を小魚たちが
つつきに来る。都合によっては「おかずとり」と言ってその小魚をつかん
で帰る。その横でこれもおばさんが洗濯物のすすぎをしている。となりで
はバケツに水を汲んでいる。男二人がニワトリの首をキュッとひねって「ジ
ュンジュン」のしたく。大網引きを手伝うとバケツに雑魚をくれました。
シジミはわくほどおりまして、足でさぐってつかみながらの水浴び。
　その横の四斗樽にはラッキョが入っています。これが特産八坂ラッキョ。
砂浜では歯切れがよいのができるというそのラッキョの畑におばさんたち

186

がまいているのは小鮎です。季節になるとハマが真っ黒くまた生臭くなる
ほど鮎が寄ってくる。つかんで湯がいて干してから出汁ジャコとしてつか
ったり飴炊きにして食べるほかにはラッキョ畑の肥料にまで！

　サテ、ハマの端では子どもらが木の枝を拾っています。これは「焚きも
ん拾い」です。山から流れてびわ湖のハマに打ち上げられた木の枝は大変
貴重な燃料。それで風の日とくに台風の翌日などは家々総出で競争でハマ
へ焚きもん拾いに行った。そのためハマはいつでもきれいでありました。
限られた自然のめぐみをやりくりしながら人が住む、その住むことが、村

の景色の澄むことにつながっている「住むは澄む」とでも言いたいような、いまやかましい「循環型」のくらしがそこにあったわけです。ところが子どもらに見せますと、これは「ゴミ拾い」の場面だという。わずか60余年の間に「めぐみがゴミになってしまった」のでアリマス。

　八坂のムラにとってはハマというのは炊事場であり調理場であり洗濯場であり漁場、あそび場、特産品の産地でもあり燃料の供給源でもあったわけです。くらしが変わればまなざしが変わる、まなざしが変わればかかわりもまた変わっていくということで、こんにち現在、八坂のくらしとハマとのかかわりは、年に数回号令一下「ごみ」を拾いに行くほかは、ほとんど失われてしまったのでアリマス…」。

◆郷土学習からエコツアーまで

　よそ者や子ども・若者にとってはふるさと絵屏風のなかには「これは

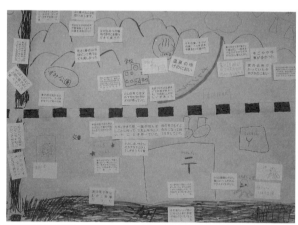

写真16　ふるさと絵屏風による絵解き授業
寄贈されたふるさと絵屏風の複製タペストリーを教室まで運び込み、クイズ形式でワイワイ学ぶ。「お家に帰ったらお父さんやお母さんにもクイズしてみてね」（神奈川県湯河原町）

写真17　絵解き授業でつくった思い出マップ
年寄りの思い出マップに子どもたちが自分たちの五感体験を描き込んでつくった。未来のふるさと絵屏風の設計図（神奈川県湯河原町）

写真18 ふるさと絵屏風による絵解き授業
「僕ここの話聞いた！」「僕はここの話！」。彼らが下校時に見る風景は、登校時とは違う意味を持つ風景になる（高島市今津）

何？」という問いがひしめいている。いっぽう年寄り、語り部にとってはまさにその絵が答えである。1枚の絵のなかに問いと答えが同居している。だから絵図を指さしながら子ども・若者が問い、年寄りが答える、そのやりとりが容易に生まれる。絵図を仲立ちとする多世代のコミュニケーションが可能になる。

　そこでふるさと絵屏風を教室に持ち込めば、たちまち「郷土学習」の場ができる。そのために実物大の複製タペストリーをつくって小中学校などに寄贈する。タペストリーは丈夫な素材でつくってあるので少々のことでは汚損しない。床に敷いてその上に乗ってつかうことだってできる。こういうものがあると、語り部が手ぶらで行っても絵解き郷土学習は成立する。ひと工夫して、たとえば絵屏風のなかの一場面や一人物を切り取ったカードをつくって、「はたしてこれはこの絵のどこに描かれているでしょう？」「これは何の場面でしょう？」というふうにすれば、子どもたちもクイズを楽しむ要領で身を乗り出してくる（写真16、17、18）。

　絵図の場面を切り取った絵札に対して、年寄りと子どもが協力して読み札を考え「ふるさと絵屏風かるた」をつくった例もある[注10]。「赤ん坊産湯

写真19　さまざまな「ふるさと絵屏風グッズ」
カルタ、パンフレットから風呂敷やミニチュア、そして屋外看板まで。絵にすることでいろいろな
活用法が生まれる。

はたらい産婆さん」「いい最期みなが参列お葬式」。子どもと年寄りが正月
にそんなかるたに興じる。絵屏風の画面をもとに小学生が紙芝居をつくり、
年寄り相手に「絵解き」するということもあった注11。

　大変力のこもった解説書をつくる地域もある。地域の歴史に関する史料
としても充実したものとなり、それは千円前後で販売されている。最新の
解説書ではスマートフォンをかざすとWEB上の絵解き動画につながるよ
うになっているものもある。地元テレビ局が絵解き動画を収録したものも
ある。絵というものはじつにさまざまに活用がひろがる（写真19、20）。

　動画が高じて住民による「映画」をつくった地域もある注12。絵屏風に
描かれたものを現地に復元した例もある注13。

　絵解きとまち歩きを組み合わせて、エコツアーのプログラムをつくりあ
げた地域もある（写真21）。絵屏風の縮刷版を手に語り部と一緒にまちあ
るきをしたあと、集会所で地産地消の「里山弁当」を食べ、またじっくり
「絵解き」に耳を傾ける。名所旧跡を巡るのではない。小川や田畑をめぐり、
まちかどにたたずみながら、その地域の自然環境のなかで、限られた地域
の資源をどのように活かして人びとが暮らしてきたのかということを学ぶ。
近年は海外からの参加者も案内するようになった。そしてそれがよろこば

写真20
公民館での展示状況
コミュニティセンターの新築にあわせて絵屏風をつくり、皆の目に触れる場所に展示スペースをつくりつけにした（近江八幡市老蘇）

写真21
ふるさと絵屏風をから生まれたエコツアー
他の地域や海外からの参加者との交流を通じて地元の再発見につながる。ガイド料は新たなまちづくりの資金になる。

滋賀の魅力をたっぷり感じられる体験型ツアーを実施します！水を中心とした昔の暮らしを体験しながら、地元の方々と楽しく交流し、持続可能な社会ってどう実現できるのか考えられる旅。昼食は地元の食材で作られたお弁当。スイカ割りもやりますよ～

日時：2019年8月3日（土）10時～15時
場所：滋賀県南比良（集合9:45 比良駅）
参加費：4000円（食事やガイド、保険代含む）
　　　　高校生以下　3000円
対象：大人・ご家族（子どもは小3以上参加可能）
持参物：水筒、動きやすい服装（長ズボン）、ハイキング用靴、水着（任意）
定員：20名

小雨決行

お問合せ・申し込み　8月1日迄
循環型社会創造研究所えこら

主催：滋賀でESDを進める会、循環型社会創造研究所えこら

れている。絵屏風の縮刷や絵ハガキはそれ自体お土産にもなる。このツアーの企画には、ESD（持続可能な開発のための教育）を支援する団体や国際交流に取り組む団体など地域外の人びともかかわった。

6 ふるさと絵屏風のはたらき

◆無事の文化の発見 ── なんにもないを続けてきた営みのすごさ

　ふるさと絵屏風をつかったエコツアーを開発したその地域ではふるさと絵屏風をつくるまでは、制作メンバーですら「この地域にはなんにもないんです」と言っていた。ところが、たとえば絵図の構想を練り構図を考える段階になって、集落内での資源の流れを図化したりしているうちに「今でいう循環型のくらしを父母は普通にしていたのだな」と気づく。「なんにもない」と言いながらその「なんにもないを何百年も続けてきた知恵と力」がこの集落にはあるということを知る。

　地域に「なんにもない」からその活性化につながればとふるさと絵屏風の制作を始めた人びとが、その過程でむしろ地域の「なんにもないを続けてきた営みや力」のすごさに気づく。この「なんにもないを続ける力」を「無事の文化」と呼ぼう。

　地域コミュニティというのは本来、人びとが「ここで、ともに、無事に」生きていくために形成されたものである。まちづくりとは「ここで、ともに、無事に」をたゆまずつくり続けることである。地域には「ここで、ともに、無事に」を実現するために何百年にもわたって育まれ磨き上げられてきた「無事の文化」がある。すべてのふるさと絵屏風に共通するかくれた主題はこの「無事の文化」である。

　ことば遊びにすぎないが「無事の文化」を「ブジネス」などとも呼んでいる。ふるさと絵屏風には派手な場面や世間をおどろかす大事件が描かれ

ることは少ない。ふるさと絵屏風には「ここで、ともに、無事に」と願い、そのために生きた人びとの「ブジネスモデル」が描かれている。

　英雄は彼のなした事業が時代や社会に与えた影響の大きさによって「歴史に名を残す」。いっぽう地域に生き地域に死んだ圧倒的多数の「無名」の人びと、つまりわれわれの父母そのまた父母は、「名を残す」かわりに何を残したか。この人びとは「無事」を残した。そう考える。

　この人びとの業績は昨日と変わらぬ「無事」を今日までつないできたことだ。この人びとが建設したのは「無事」である。だからこの人びとは歴史のなかでいつでも「無名」なのである。けれど、限りある地域のめぐみをやりくりして、きびしい自然のなかで、たびたび助け合い、ときどきいさかい合いながら何百年も「無事」を続けてきたことがどれほどすごいことであるか。それに気づけば自分のまちに「なんにもない」とは言えなくなる。

◆ターミナルケアとして

　ふるさと絵屏風に何を期待し、その取り組みを通じて何を想い、何を学び、それを地域社会の将来に、あるいは自身の生活にどう活かすか、ふるさと絵屏風の「そだてかた」は、それにかかわる人によりまた地域によってさまざまである。

　みんなで１枚の大きな絵を描くというシンプルな取り組みが思いがけない展開をしている。しかし考えてみれば、われわれの祖先が洞窟の壁に描いた動物の絵を指さしながらその習性や狩りのしかたを語り合った遠い昔から今日にいたるまで、絵画というのはコミュニケーションの重要な方法でありメディアであり続けている。現代のふるさと絵屏風は太古の洞窟壁画とそう変わらない。そのようにある意味できわめて「伝統的」でありかつシンプルなやりかただからこそ、さまざまな地域でいろいろな人がふるさと絵屏風の可能性を広げているものと思う。

冒頭に紹介した長夫さんもその一人だ。長夫さんの集落にふるさと絵屏風の取り組みを持ち込んだのは保健師の女性だった。地域の人びとの健康と福祉をささえる立場からふるさと絵屏風に可能性を感じて地域の人びとに働きかけ、ついには地元の博物館も巻き込んで「博福連携」の健康まちづくり活動へと成長させていった。

　当初は高齢者の活躍の場づくりやエンパワメント、そして絵屏風と民具をつかった回想法による認知症・介護予防として始めたのであった。けれども、長夫さんがまさに最晩年の生きがいとしてふるさと絵屏風づくりに取り組み、そのことへの喜びと感謝のうちに亡くなっていった姿に接した経験をきっかけにして、彼女は「ふるさと絵屏風は人びとの人生の仕上げを飾るターミナルケアの一形態でもある」と考えるにいたったのだった。

　長夫さんには語り部としてまだまだしゃべりたかったという悔しさもあったに違いない。しかしそれ以上に、長夫さんにとってふるさと絵屏風が仕上がっていくことは自分の人生の仕上げと重なって感じられ、長夫さん

写真22　仲間と制作中の長夫さん（画面右から2人目）
「わしみたいに勉強もできひんもんが、最後の最後に「絵」を描いた。栄ちゃんや善ちゃんとしゃべりながら描いた。そしてみんなの前で「絵」に描いたことをしゃべりもした。ほんまに楽しかった。幸せな時間やった」（甲賀市土山・山内）。

表4　人間存在の３様態とそれぞれの「居場所」

空間	からだ soil ／要素	・物質性 ・モノ／肉としての自己 ・自然とのつながり	安全	ここで
じんかん 人間	こころ society ／関係性	・関係性・社会性 ・関係としての自己 ・人と人のつながり	安心	ともに
時間	たましい soul ／推進力	・時間性・歴史性 ・物語りとしての自己 ・自分自身とのつながり ・祖先子孫とのつながり	安寧	ぶじに

はそれに充足感を抱いていた（写真22）。

◆歴史のなかに居場所を得る

　見方によっては集落総出の「楽しいお絵描きワークショップ」であり、あるいは「壮大な絵日記」にすぎないふるさと絵屏風が、人によっては「絵空事」に終わらずに大きな生きがいになり充足感をもたらすものにもなるのはどうしてだろう。

　それはふるさと絵屏風をつくり、つかい、そだてる過程をとおして一人ひとりが「ふるさとの物語のなかに自分が生きた証しを刻む」ことができるからではないだろうか。「その人のたましいがふるさとの歴史のなかに居場所を得る」ことをふるさと絵屏風がたすけるからではないか。

　人間は「からだ」「こころ」「たましい」からなる。「からだ」「こころ」「たましい」というのは人間の「物質（身体）性」「関係（社会）性」「時間（歴史）性」、あるいは「人と自然のつながり」「人と人のつながり」「人と歴史とのつながり」を仮にそう呼ぶものとする（表4）。そして「たましい」というのは人がその「からだ」と「こころ」を失ったとしても、時間を超えて長く受け継がれてゆくもののことである。

　自分がいなくなったあとも、自分が生きていたということや自分がなし

たことが自分の家族や仲間たち、地域のなかで受け継がれ、分かち合われていく。地域で自分が語った物語、そしてそのように語った自分を含む地域の物語を誰かが分かち合い、受け継いでいく。その確信を持つことができたとき、その人に「たましい」の安寧がもたらされる。その人の「たましい」は歴史のなかに居場所を得る。

　家族や共同体のきずなはメンバーの死によって断たれ分かたれるものではない。むしろかけがえのないメンバーの「死を分かち合う」ことによって成立するのが家族や共同体である。歴史は人間にとって最後の居場所であり、人びとのたましいはふるさとの物語のなかに「転居」することで生き続ける。ふるさと絵屏風はときにそのたすけになりうる。ふるさと絵屏風が「ターミナルケア」になるというのはそういうことなのではないか。

◆新たなる在所を求めて

　保健・福祉の視点から見いだされたふるさと絵屏風の新たな可能性が、今後どのように広がるか楽しみである。「たましい」まで持ち出して大げさな話をと思われるかもしれない。けれどもそもそもムラとか地域社会というのは人びとの「からだ」「こころ」「たましい」に「安全」「安心」「安

写真23
在所に生きる
「ここで生まれ、ここで育ち、ここで耕作して、この水を飲んで生きてきました。ここが私の在所です」（大津市南比良）。

寧」の居場所を提供するものであった。昔から自分のムラやふるさとを「在所」と呼ぶことがあるが、それはまさしくムラというのが人びとの「からだ・こころ・たましいすべての根拠がそこに在る所」という意味である。

「私はここで生まれ、そこに湧く水を飲み、あそこでとれた作物・獲物を食べて育ち、またそうした作物を自ら育て、この人びとのなかでこのような役割を担い、それもつとめあげてもうすぐここで死ぬだろう。死んだら先祖に仲間入りして盆や正月には子や孫のもとに戻って過ごし、やがていつかはあの山この川と一体になりあるいは田の神山の神の仲間に入れてもらってこのふるさとをいつまでも見守っていくのだ^{注14}」。

このように語る年寄りにたくさん出会ってきた。こうした人は真に「在所」に生きる人である（写真23）。

たとえば宗教そして祭礼・儀式といったかたちで、そこに生きる人びとの「たましい」が「ふるさとの歴史のなかに引っ越す」ための仕組みや仕方を地域社会はその文化として持っていた。ところがそれがくずれ始めて、次のかたちがまだ見つからない。

人間は「からだ」「こころ」「たましい」からなると言っても「切り身」で生きているのではない。けれどグローバル化が進み複雑化する社会のなかで、私たちの「からだ」と「こころ」と「たましい」はそれぞれバラバラに切り離され散り散りに漂っているように見える。私たちは実際のところ「切り身」に等しくなっているのではないか。ふるさと絵屏風に描かれた暮らしや文化を見て、語り部たちの「在所」のものがたりを聞くことは、ひるがえって、現代に生きる私たちの「所在なさ」を思い知ることでもある。そのうえで、私たちは過去をそだてて新たなるどんな「在所」を未来につくるのか。これから30年、50年先に描かれるふるさと絵屏風はいったいどういうものになるのか。ふるさと絵屏風はそんなことを問いかけてくる。

注

1. 山内エコクラブ・竜王真紀さんの手記（2019年）および小川栄一氏日誌から引用。
2. 「身識」を「しんしき」と読むと仏教用語となる。
3. 2002年実施幸津川町老人会「五感体験アンケート」回答による『幸津川地域マンダラ』から抜粋・引用。
4. 百姓と漁師が朝方に道で出会った。百姓はこれから野良仕事に出かけるのであり、漁師は漁から帰ってきたのである。百姓が漁師に「今日はどうやった？」と聞くと漁師は「昨日のほうが良かった」と答え、漁師が百姓に「今年はどうや？」と聞くと百姓は「来年頑張るわ」と応える。漁師は1日1日の稼ぎであり、百姓は年々の稼ぎであり、生きる時間のスパンもリズムも違う。
5. 浄土真宗大谷派の僧侶で佛教大学教授でもあった藤代聰麿の言とされる。
6. 都市構造として顕現した往時の階層意識や差別を追認するものであってはならない。それらについてあらためて向き合いそれをのりこえる歩みを考える機会にする。
7. 描きつくせなかったことや新たに語られたこと、指摘された間違いを簡便な形で回収し蓄積して、後年の描きなおしや後代の「新絵屏風」制作に期する。その意味でふるさと絵屏風に完成はない。
8. 神奈川県葉山町では「葉山ふるさと絵屏風」の完成を記念して新作メンバーによって『共なるふるさと』なる歌が作られ同絵屏風の完成記念会で披露された。
9. 大津市南比良ふるさと絵屏風づくりの会の中村正之会長（当時）によるスピーチ。地域の過去を描きながら、制作メンバーの気持ちはいつも未来志向である。
10. 滋賀県米原市上丹生、神奈川県葉山町、滋賀県近江八幡市老蘇など。
11. 滋賀県草津市渋川地区、矢倉地区の風景の記憶絵をつかった小学校での郷土学習の実践の一環として作成された。子どもたちが老人会のサロンに出かけてお年寄りに紙芝居をした。
12. 草津市矢倉地区で風景の記憶絵の絵師をつとめた河崎凱三氏が監督となり、住民が出演して地域の伝統行事を題材にした映画「サァー行こか」が制作され、2019年公開された。
13. 大津市南比良、北比良の両地区では、ふるさと絵屏風に描かれた「橋板（びわ湖の浜から沖に向かって2mほどの板を出し、水汲みや食器洗いの足場としたもの）」を絵に描かれた場所に再現・復活させた。
14. 2007年、大津市南比良での聞き取り。

参考文献

- 山内エコクラブ『山エコ通信』https://yamaeco. net/
- 竜王真紀他（2019）『山内ふるさと絵屏風　手引書』山内エコクラブ
- マイケル・ポランニー（2003）『暗黙知の次元』ちくま書房
- クロード・レヴィ・ストロース（1976）『野生の思考』みすず書房
- ユクスキュル、クリサート（2005）『生物から見た世界』岩波書店
- 六車由実（2012）『驚きの介護民俗学』医学書院

終章　創発を生むプラット
フォームと場づくり

飯盛義徳

本章では、各章での取り組みを総合して、効果的な場づくり
のポイントについて検討する。限られた事例ではあるものの、
これらの取り組みからは、地域づくりに供する場づくりには、
空間、コンテンツ、マネジメントのそれぞれの要素について
目を配ることが大切であることが推測できる。さらに場には、
地域づくりの担い手を育むインキュベータとしての機能があ
る。これから、地域づくりにおける端緒として、場づくりは、
ますます期待されていくだろう。

1 場づくりのポイント

　ただ場をつくったからといって必ずしも地域づくりが巧くいくわけではない。

　そのため、地域づくりにおいては、プラットフォームの概念が有効だ。プラットフォームとは、「多様な主体の協働を促進するコミュニケーションの基盤となる道具や仕組み、空間」（飯盛[1]）をいう。プラットフォームは、明らかに設計する対象であり、人工物である。そして、効果的な設計を行えば、人や組織などの多様な主体のつながりを生成し、相互作用によって予期もしなかったような活動を生みだす可能性を持ち合わせている。

　これは、プラットフォームの代表例であるインターネットをイメージすると分かりやすい。世界中のさまざまなネットワークがつながり、人や組織間の相互交流が活発になり、ビジネスをはじめ、さまざまな活動が生まれる基盤になっている。このインターネットのコンセプトが、「自律・分散・協調」であり、まさに地域づくりのキーワードでもある。

　では、効果的なプラットフォームを設計するうえで大切なポイントは何だろうか。國領[2]は、効果的なプラットフォームを設計する指針として、

- ・資源（能力）が結集して結合する空間をつくること
- ・新しいつながりの生成と組み替えが常時起こる環境を提供すること
- ・各主体にとって参加の障壁が低く、参加のインセンティブを持てる魅力的な場を提供すること
- ・規範を守ることが自発性を高める構造をつくること
- ・機動的にプラットフォームを構築できるオープンなインフラを整えること

を掲げている。

　これこそが、地域づくりの文脈における効果的な場づくりのポイントになると考える。

また今までに紹介した取り組みを総合し、プラットフォームの概念を援用して考察すると、効果的な場づくりを目指すには、大別して、

- ・空間
- ・コンテンツ
- ・マネジメント

のデザインに配慮しなければならないことが分かる。これらは相互補完的に関わり合っており、どのようにして巧く組み合わせて効果をもたらすようにしていくのかが問われる。以下に、それぞれの主要なポイントについて検討してみよう。

◆誰でも出入りしやすい仕組みづくり

　まず、新しい活動や価値が生まれ続ける場をつくるためには、コミュニケーションの頻度が高く、同質的な情報を深く共有できる、信頼をベースとした「強いつながり」と、コミュニケーションの頻度は高くはないが、新しい、異質な情報が流入する「弱いつながり」の両方が巧く共存するように配慮しなければならない。これは、前著『地域づくりのプラットフォーム』でも指摘したとおりだ。

　強いつながりで結ばれている人たちだけが集まるのでは、居心地はいいものの、地域づくりで目標とされる、常に新しいことが起こるような状態にはなりにくいだろう。一方、弱いつながりの人たちだけだと協働に不可欠な信頼を築くことが難しくなるというジレンマがある。これは、第2章の「芝の家」や第3章の「ゆがわらっことつくる多世代の居場所」でも留意されているポイントである。

　そこで、空間のデザインには、強いつながりをベースとしながらも、絶えず新しい人の流入があるように工夫することが求められる。場の中で何をやっているのか分かりにくいと初めての人は入りづらくなり、その結果、参加者がいつも同じ顔ぶれということにもなりかねない。そうすると初め

写真1　三上茶堂でのお接待
地域内外の人々の交流の場になっている（出典：西予市役所、宇都宮万幸氏提供）

ての人はますます参加しづらくなるだろう。地域づくりにおいては、次々
と新しい活動が立ち上がるようにすることが求められるのであり、そのた
めには、常に新しい人々が訪れ、相互作用が生まれるような仕組みを検討
しなければならない。

　そのための手立ての一つとして、芝の家やゆがわらっことつくる多世代
の居場所のように、あえて縁側を設えて、場の中にいても外の人と交流で
き、一方で外からも中で何をやっているのかがすぐに分かる、すなわち「可
視性」を高めることが肝要である。それが、仲良しグループだけで固定さ
れてしまうということを防ぐことにつながる。

　可視性を高めるためには縁側の設置以外にもいろいろな方法がある。第
1章で紹介した「岩見沢駅複合駅舎」では大きなガラス窓が際立っており、
外にいる人は駅舎の中の様子がよく分かり、駅舎の中にいる人は外で行わ
れていることが一目瞭然である。また、「わいわい！！　コンテナ」では、
コンテナの目前に芝生を張った広場があるからこそ何をしているのかが分

かりやすく、かつ多様な人々が出入りしやすくなって、コンテナでの活動への参加を促している。

　ここで、四国を中心とした西日本に点在する茶堂を紹介したい。愛媛県西予市には 170 棟を超える茶堂があるといわれており、とくに城川町内には、小字単位に計 52 の茶堂がある[文3]。茶堂のほとんどが 1 間四方の宝形造（ほうぎょうづくり）であり、床は約地上 45cm の高さに板を張った建物で、屋根は茅葺が多い。三方が解放されており、正面奥の棚には弘法大師像や庚申像（こうしん）などの石像が安置されていて、巡礼講、庚申講などの宗教的行事が行われる場であった。また、遍路の巡礼者や旅人などにお茶を振る舞ったりするおもてなしの場にもなっており、現在でも、地域の人々が集まって交流をしたり、イベント会場としても活用されている（写真 1）。まさに、可視性が高いからこそ、多様な人々が参加しやすい場になっている。

　もちろん、人通りが多かったり、アクセスしやすかったりするなど場の物理的な位置は重要な要素の一つである。茶堂は、巡礼者が行き交う街道沿いに設置されているし、ゆがわらっことつくる多世代の居場所は、目の前にさくらんぼ公園があるからこそ子どもたちがこぞって訪問するようになった。芝の家も住宅密集地のアクセスのいいところにある。

　ただ、可視性が高いゆえに、何をやっているのかが一目で分かるということが多くの人々が参加しやすい雰囲気を醸し出し、地域内外の人々の交流を生むきっかけにつながっていることは間違いない。

◆多様な人々が気軽に参加できるプログラムの提供

　ただ、可視性の高い場を構築するだけで自動的に人が集まり、効果的な場になっていくわけではないだろう。場で何を行うのか、提供するイベントやプログラムにも目を配らなければならない。多様な人々に参加をしてもらうためには、興味が持てる、楽しそう、何かの役に立つなどメリットを感じてもらえるようなものを提供することが大切であることは言を俟た

ない。

　一方、各地の地域づくりの活動において、昨今、ワークショップ形式の課題解決のための場が設けられている。わいわい！！ コンテナでも、芝の家でも、ゆがわらっことつくる多世代の居場所においてもさまざまなワークショップが開催されている。これらのワークショップにおいては、多様な人々の参加による、多角的な視点をベースとした活発な意見交換によって、何らかの課題を解決するための本質的なアイデアを生みだすこと、そして、予期もしないような新しい活動が生みだされることが期待されている。

　ある中山間地域で、コミュニティビジネスのためのケースメソッド形式でのワークショップを開催したときのこと。小さな集落ながら、参加者は、ほとんどがお互い初めて会った人たちであった。そのなかで、前職がICTエンジニアで移住したばかりの若者と長年農業に従事している高齢者が出会い、立場をこえて議論しているうちに意気投合。2人で力を合わせて、農作物のインターネット販売の試験運転を開始した。まさに、つながっていなかった人や能力という資源が結合して新しい価値、活動が生まれた例と言えよう。これは、ケースメソッドという、参加者全員で活発に意見を交換、共有することを通じて新しい知の創造を目指すというプロセスが奏功したと考えられる。

　そのキーワードの一つは参加する人々の間の「対等性」をいかに確保するかである。中根[文4] は、日本の組織の特徴として、在籍年数による序列の差があることを指摘している。このような序列ができてしまうと、みんなが対等に意見を言い合い、共有、活用していくことにはなりにくいだろう。上述のケースメソッドワークショップでは、この対等性を重視したがゆえに、発言しやすくなり、知の結合がおこったと言える。

　第4章で紹介した「ふるさと絵屏風」では、五感体験アンケート、聞き取り、絵図の制作、活用という段階をへて、高齢者が地域の思い出を持ち寄り、それをまとめて一双の絵屏風を制作する。その際、五感体験アン

写真2　ワークショップ
の様子
出された意見を円形に並
べることで対等性を担保
する工夫がなされている

ケートや聞き取りをもとに作成された「五感体験マンダラ」に記された一
人ひとりの思い出に何らかの序列や軽重は一切ない。皆の思い出は等しく
集められ、人々の合意形成によって地域全体の思い出として昇華している。

　対等性を実現するためには、ワークショップ中の意見の取り上げ方にも
工夫が必要だ。たとえば、私が参加したことのあるワークショップでは、
誰の意見でも対等に扱うために、一目で分かるように付箋を円形に並べて
いた。そのため、気兼ねのない、活発な意見交換が行われ、参加者たちは
地域への思いを共有できて、課題解決のための活動が始まった。このよう
な配慮を随処に取り入れていくことで対等性は根づいていくだろう（写真
2）。

◆資源持ち寄りによる運営

　場が地域に根づき、さまざまな事業を生み続けていくようになるには、
どうしても一定の時間が必要となる。そのため、持続可能性を担保しつつ、
参加者の主体性を育むための方策を講じなければならない。そのためには、
『地域づくりのプラットフォーム』でも論じているように、資源持ち寄り

写真3 わいわい！！コンテナでの広場づくりの様子
手づくりすることで自分たちの広場という意識づけにつながっている（出典：西村浩氏提供）

による運営を心がけることも一つの為す術となる。この場合の資源とは、運営に必要な、ヒト（地域内外の人や組織など）、モノ（目に見える、施設や設備、風景や史跡、産物など）、カネ（運営に必要な資金など）、情報（目には見えない歴史や文化、ブランド、ストーリーなど）のすべてを言う。

　ふるさと絵屏風では、みんなで地域の思い出を出し合って共有したうえで絵屏風を制作し、それを活用してワークショップを実施している。情報という資源を巧く持ち寄ったプロジェクトと言えるだろう。また、岩見沢複合駅舎では、出資者を募って、駅舎の外壁のレンガに刻印を行う「らぶりっく！！いわみざわ！」プロジェクトを展開した。さらに、わいわい！！コンテナの広場を造成するときには、あえて子どもたちやその親たちに芝生のマットを張ってもらっている（写真3）。「南町2850プロジェクト」での空き地デザインワークショップでも高校生自らが芝を張ったり、レン

ガを敷いたりする機会を提供している。

　ゆがわらっことつくる多世代の居場所では、約7カ月、延べ30回にわたって、子どもたちや学生、地域の人々、建築家や大工さんなどが参加してワークショップ形式のリノベーションを実施した。このことが地域の人々のつながりを形成して、一緒につくる喜びを感じつつ、自分たちの場という意識づけを実現することができたのである。

　このように、何らかの資源をみんなで持ち寄ってもらうことで、運営に係るコストを削減しつつ、自分たちの場という認識を定着させ、参加者の主体性を育むことができる。その結果、芝の家のように、多様な資源の結合によって、予期もしないような何かが生まれる可能性が生まれるきっかけとなる。

2　地域づくりへの広がり

　場づくりには、空間、コンテンツ、マネジメントのデザインが大切であり、それぞれの検討すべきポイントの例として、可視性、対等性、資源持ち寄りを示した。ただ、場は、一足飛びに盛り上がるわけではない。今までの調査や取り組みに参加した経験を振り返ると、まず、場においては、強いつながりで結ばれたコアとなるメンバーの存在が前提となる。そのうえで、今までつながっていなかったような人々とのつながりが生まれることから始まる。次に、つながったすべての人々との間で何らかの資源の持ち寄りが生まれ、それらをシェアしながら相互に活用していくことで何らかの新しい活動が生まれるようになるというプロセスを辿っている。

　さらに、ここで、場から地域への波及効果をもたらしている、高知県佐川町の「あったかふれあいセンター・とかの」の例を紹介したい。高知県佐川町は、高知県の中西部に位置し、高知市から車で約1時間の距離にある地域である。人口は約1万3000人。主な産業は農業、林業であり、

佐川茶、新高梨、甘栗などの特産品があり、高知県を代表する酒蔵である司牡丹酒造も佐川町に居を構えている。

　あったかふれあいセンターは、2010 年に始まった高知県の事業。県内31 市町村の 48 カ所に設置された、地域ニーズの把握や課題解決に対応する小規模多機能支援拠点だ。老若男女の誰でも気軽に利用できるように配慮されている。各市町村から委託された団体が運営しており、必須機能としては、地域のニーズに応じたインフォーマルサービスの提供、地域の見守りネットワークの構築、生活支援があり、拡充機能として移住手段の確保、配食、泊まり、介護予防、認知症カフェなどがある。このうち、インフォーマルサービスの集い事業については必ず実施する必要があり、とくに、預かる、働く、送る、交わる、学ぶ、の機能については、少なくとも一つは実施することになっている。

　佐川町斗賀野地区に設置されている、あったかふれあいセンター・とかのは 2014 年に開設。利用料金は基本的に無料で、1 日平均 40 名以上が利用している（写真 4）。いつ来ていつ帰ってもいい、何をして過ごしてもいいというスタンスで運営されており、明確な決まり事がないため、子どもたちから高齢者まで誰でも気軽に立ち寄れる場になっている。折り紙

写真 4　あったかふれあいセンター・とかのの全景
参加者が地域の課題解決の活動を実践している（出典：高知県提供）

や体操などの教室、子どもたちを対象とした数々のイベントなど多岐にわたる事業を展開している。

　昨今、活動は、場の中から地域全体へと広がりを見せている。住民が主体となって高齢者の自宅の掃除や草刈りなどのさまざまな困り事を解決する夏のお助け大作戦や各種送迎など、地域の課題解決のための事業が次々と生まれているのだ。

　あったかふれあいセンター・とかのでは、単に場を提供するだけでなく、あえて参加者に役割や出番をつくり、できることを実践してもらうようにしている。さらに、外部の防災組織や自治会の人々、民生委員などにも積極的に声をかけて活動に参加してもらうとともに、地域の情報や人的ネットワークなどの資源の共有や活用を心がけている。これが、場での一参加者から地域において何かの活動を行う主体へと転じる契機となっている。

　このように、一緒に場をつくっていくという余地を残しておくことで参加者の主体性を育み、場の内外のさまざまな資源を結びつけ、参加者全員で自由に活用できるという文化を醸成、定着させていくことが地域づくりへと発展するポイントとなる。

　本書で紹介した取り組みのように、場は、地域づくりの担い手を生みだしていくインキュベータとしても機能する。地域づくりにおいては、担い手の確保、育成が喫緊の課題となっており、これから場にはますます期待が寄せられるだろう。本書が、地域づくりに邁進されている方々の何かの役に立てば望外の幸せである。

引用文献

1. 飯盛義徳（2015）『地域づくりのプラットフォーム』学芸出版社
   慶應義塾大学湘南藤沢学会（2017）『KEIO SFC JOURNAL』Vol.16、No. 2、紀伊國屋書店
2. 國領二郎編（2011）『創発経営のプラットフォーム』日本経済新聞出版社
3. 「西予市の文化財」のWeb サイトhttps://www. city. seiyo. ehime. jp/miryoku/seiyoshibunkazai/
   bunkazai/kuni/kiroku_mukeim/4226. html
4. 中根千枝（1967）『タテ社会の人間関係』講談社

参考文献

- 飯盛義徳（2015）『地域づくりのプラットフォーム』学芸出版社
- 伊丹敬之（2005）『場の論理とマネジメント』東洋経済新報社
- 國領二郎編（2011）『創発経営のプラットフォーム』日本経済新聞出版社

さいごに

　本書で紹介した取り組みには、もう一つ共通のポイントがある。それは、どの場も笑い声や歓声が絶えないことだ。「わいわい!! コンテナ」ではいつも子どもたちの元気な声が響き渡っている。「芝の家」や「ゆがわらっことつくる多世代の居場所」では、入口のドアを開けた途端、利用者たちの笑い声に包まれる。「ふるさと絵屏風」では、地域の人々の思い出がつまった絵屏風の前で楽しそうに昔話に花が咲いている。もし機会があれば、実際に足を運んで場の雰囲気を体感いただきたい。

　本文でもふれたように、場における楽しさは、参加を促す強力なインセンティブになる。あったかふれあいセンターも参加して楽しいからこそ

芝の家で昔遊びに興じる学生たち
どのグループの学生たちも笑顔で、楽しそうな様子が分かる。

人々が次々と訪れる。また、当事者意識を持つようになるのも楽しいからという要素が大きい。

2018年、飯盛義徳研究会で「芝の家」を訪問したときのこと。学生メンバーは、けん玉、お手玉、おはじきなどのグループに分かれて昔遊びに興じていた。

このとき、コーディネーターは、何かを無理強いすることは決してなく、自然と各グループの学生たちの側に寄り添いながら、学生が「これはどうやって使うのかな」などと言葉を発したときだけ、「このように使うのですよ」とだけ伝えて、あとは笑顔で見守っていた。場の全体に目を配りながら、各人がやりたいことを最大限に引き出す工夫がなされていると実感した。まさに、「木も見て森も見る」姿勢だ。このように、効果的な場をつくるためには、場の設計者、運営者をはじめ、コーディネーターとなるスタッフなどの人材の確保、育成をいかに果たすかがこれからの課題となる。

何度も繰り返すように、場は一足飛びにできるものではない。今までの取り組みを洞観すると、①今までつながっていなかったような人や組織がつながるようになる、②参加者間で、何らかの資源の持ち寄り、シェア、活用が実現する、③これらが常に行われるような仕組みづくりをする、というプロセスを辿る。これらの流れを巧く創造していくこともコーディネーターに求められる力の一つだろう。これらを実現する具体的な方策については、今後の研究課題としたい。

本書を上梓するにあたっては、学芸出版社の前田裕資氏に内容、構成などで貴重なご意見をいただいた。心から感謝したい。地域づくりにおける場づくりの大切さについて理解してくださり、教育や研究、学務などで執筆が遅れがちになるといろいろな叱咤激励をいただいた。また、執筆者間のさまざまな調整を取り持っていただき、何とか出版にたどり着くことができて安堵している。

さらに、本書は、慶應義塾大学SFC研究所みらいのまちをつくる・ラ

ボでの議論が大きなヒントになった。メンバーの先生方をはじめ、いつも
深い理解、支援をいただいている品川区大井町の方々に感佩したい。

　なお、ちょうどこの原稿を執筆しているときに、「ゆがわらっことつく
る多世代の居場所」（一般社団法人 ユガラボ）は、第14回「かながわ子
ども・子育て支援大賞」を受賞するという栄誉に浴した。紹介したすべて
の取り組みは、現在も常に進化を続けており、場づくり、地域づくりに完
成はない。私たちもまた次のステップに踏み出して、場から地域を元気に
する流れを築き上げたいと念願している。

2021年春
花の雲から垣間見る富士山を愛でながら
執筆者を代表して　飯盛義徳

著者略歴

飯盛義徳（いさがい・よしのり）……………………………………………… 序章、終章
慶應義塾大学総合政策学部教授。博士（経営学）。特定活動非営利法人鳳雛塾理事長

1964 年佐賀市生まれ。慶應義塾大学大学院経営管理研究科博士課程単位取得退学。松下電器産業株式会社勤務などを経て、2014 年慶應義塾大学総合政策学部教授。2015 年 SFC 研究所所長、2017 年総合政策学部学部長補佐などを務めた。専門は、プラットフォームデザイン、地域づくり、ファミリービジネスマネジメントなど。総務省、国土交通省などの委員を務める。主著に『地域づくりのプラットフォーム』（学芸出版社）、『社会イノベータ』（慶應義塾大学出版会）など多数。

西村浩（にしむら・ひろし）………………………………………………………… 1 章
建築家／クリエイティブディレクター

1967 年佐賀市生まれ。東京大学工学部土木工学科卒業、同大学院工学系研究科修士課程修了後、1999 年ワークヴィジョンズ一級建築士事務所（東京都品川区）を設立し、2014 年同社佐賀オフィス開設。建築・リノベーション・土木デザインに加えて、各地の都市再生戦略の立案にも取り組む。2020 年にはベーグル専門店「MOMs' Bagel」の事業主となり、マイクロデベロッパーとしても活動中。

坂倉杏介（さかくら　きょうすけ）……………………………………………… 2 章
東京都市大学都市生活学部准教授。博士（政策・メディア）。三田の家 LLP 代表

1972 年生まれ。東京都世田谷区出身。専門はコミュニティマネジメント。多様な主体の相互作用によってつながりと活動が生まれる「協働プラットフォーム」という視点で地域や組織のコミュニティ形成手法を実践的に研究。共著に『わたしたちのウェルビーイングをつくりあうために』（2020年、BNN 出版）、『コミュニティマネジメント』（中央経済社、2020 年）など。

伴英美子（ばん・えみこ）……………………………………………………………… 3 章
慶應義塾大学大学院政策・メディア研究科特任講師

1975 年カナダ生まれ。専門は産業組織心理学。1998 年慶應義塾大学総合政策学部卒業。2000 年同大学院政策・メディア研究科修士課程修了。在宅介護サービス事業者勤務。2008 年同大学院後期博士課程修了。2008 年より介護療養型医療施設勤務。傍ら、介護従事者の防災やメンタルヘルス研究および教材開発に取り組む。2016 年ゆがわらっことつくる多世代の居場所開設に携わる。2018 年一般社団法人ユガラボ理事に就任。

上田洋平（うえだ　ようへい）……………………………………………………4 章
滋賀県立大学地域共生センター講師

1976 年京都府生まれ。専門は地域文化学・地域学。1999 年滋賀県立大学人間文化学部地域文化学科卒業。2001 年同大学大学院修了。2004 年同大学院博士後期課程単位取得退学。湖東町歴史民俗資料館嘱託職員、滋賀県立大学地域共生センター助教などを経て現職。「ふるさと絵屏風」によるまちづくりの手法を開発し各地での実践を指導する一方、地域と連携した人材育成や「地域共育」プログラムの開発に取り組む。

場づくりから始める地域づくり

創発を生むプラットフォームのつくり方

2021 年 7 月 5 日　　第 1 版第 1 刷発行
2022 年 4 月 20 日　　第 1 版第 2 刷発行

編　著　者………飯盛義徳

著　　　者………西村浩、坂倉杏介、伴英美子、上田洋平

発　行　者………井口夏実

発　行　所………株式会社 学芸出版社
　　　　　　　　京都市下京区木津屋橋通西洞院東入
　　　　　　　　〒 600-8216　電話 075-343-0811
　　　　　　　　http://www. gakugei-pub. jp/
　　　　　　　　Email　info@gakugei-pub. jp

編　　　集………前田裕資

Ｄ　Ｔ　Ｐ………株式会社フルハウス

装　　　丁………美馬智

印　　　刷………創栄図書印刷株式会社

製　　　本………山崎紙工株式会社

■地域づくりのプラットフォーム
— つながりをつくり、創発をうむ仕組みづくり

飯盛義徳 著

四六判・216頁　定価 本体2000円＋税

地域づくりをリードする組織と、そのマネジメントの担い手を
どう育てるか？
必要なのは、さまざまな人々が集い予期しない活動や価値を生
みだす創発型のコミュニケーションの場、プラットフォームで
ある。本書はその有り様を理論と実例から解き明かす。

■コミュニティデザイン——人がつながるしくみをつくる
山崎 亮 著／四六判・256頁・定価 本体1800円＋税

■社会的処方——孤立という病を地域のつながりで治す方法
西智弘 編著／四六判・224頁・定価 本体2000円＋税

■コミュニティカフェ——まちの居場所のつくり方、続け方
齋藤保 著／四六判・232頁・定価 本体2000円＋税

■つながるカフェ——コミュニティの〈場〉をつくる方法
山納 洋 著／四六判・184頁・定価 本体1800円＋税

■地域とともに未来をひらく　お寺という場のつくりかた
松本紹圭・遠藤卓也 著／四六判・200頁・定価 本体2000円＋税

■親子カフェのつくりかた——成功する「居場所」づくり8つのコツ
小山訓久 著／四六判・188頁・定価 本体2000円＋税

■本で人をつなぐ　まちライブラリーのつくりかた
礒井純充 著／四六判・184頁・定価 本体1800円＋税

■公衆サウナの国フィンランド——街と人をあたためる、古くて新しいサードプレイス
こばやしあやな 著／A5判・160頁・定価 本体2000円＋税

■都市の＜隙間＞からまちをつくろう
—ドイツ・ライプツィヒに学ぶ空き家と空き地のつかいかた
大谷悠 著／四六判・240頁・定価 本体2200円＋税

■福祉転用による建築・地域のリノベーション
—成功事例で読みとく企画・設計・運営
森 一彦・加藤悠介・松原茂樹 他編著／A4判・152頁・定価 本体3500円＋税

■空き家・空きビルの福祉転用——地域資源のコンバージョン
日本建築学会 編／B5判・168頁・定価 本体3800円＋税

■ワールド・カフェから始める地域コミュニティづくり——実践ガイド
香取一昭・大川 恒／四六判・200頁・定価 本体2000円＋税

■まちのゲストハウス考
真野洋介・片岡八重子 編著／四六判・208頁・定価 本体2000円＋税